De Beroepsminnaar

De Beroepsminnaar

Jeroen Scholte

Uitgeverij EigenZinnig

Als je het karakter van een mens wilt leren kennen, geef hem dan macht.

-*Abraham Lincoln*-

1

Het was allemaal begonnen toen het slecht ging met het bedrijf waarvoor hij werkte. Heel slecht zelfs. Rolf Derks zat er al een aantal jaren en eigenlijk had hij lange tijd niet in de gaten dat de toestand zorgwekkend was, er was immers altijd werk zat. De orderportefeuille, zoals men dat zo mooi noemde, was dik in orde. Kort geleden was er nog een grote klant binnengehaald voor bijna drie ton. Hij had eerder wel eens van zijn manager gehoord dat er niet veel cash voorhanden was en dat er schulden uit het verleden waren, maar meer dan dat wist hij niet. Een week of drie voor het faillissement kreeg Rolf pas echt in de gaten hoe noodlijdend de firma was. Zijn manager had zich in een gesprek laten ontvallen dat ze technisch failliet waren en dat alleen de bank het bedrijf nog overeind hield. De achteloos gegeven informatie was als een mokerslag aangekomen. Die avond had Rolf het niet van zich af kunnen zetten. 'Technisch failliet'. Dat klonk heftig. Zeker in deze tijd van economische crisis. Meer dan 20.000 mensen raakten per maand hun baan kwijt, zo had hij uit kranten vernomen, en het leek hem weinig aanlokkelijk om zich bij die 20.000 te voegen.
Toch leek het onafwendbaar. In de dagen en weken die volgden sijpelden er steeds meer berichten door naar het personeel over de slechte situatie van de firma. Leveranciers gingen mopperen vanwege achterstallige betalingen, onderaannemers legden hun werkzaamheden neer omdat ze eerst maar eens betaald wilden worden en klanten beklaagden zich over diensten die niet meer naar wens konden worden uitgevoerd.
Op een morgen gingen er ineens verhalen rond dat de bank de rekeningen ging bevriezen en dat zelfs de uitbetaling van de salarissen in het gedrang kwam. Later die dag werd de vrees

van het personeel werkelijkheid toen er in een mail van de directie werd gesteld dat er inderdaad niet zou worden uitbetaald, maar dat iedereen tóch gewoon door zou moeten werken. Er vielen zware woorden als 'mogelijke overname', 'belastingschuld' en, vooral, 'faillissement'.

De verhalen die de ronde deden werden steeds talrijker. Er was het verhaal van de broer van een manager die veel geld zou hebben en die best wel wilde investeren. Er ging een gerucht door het bedrijf heen over een grote speler, uit Schiedam, die verregaande onderhandelingen voerde met de directie. Er was zelfs sprake van een grote hakmachine die het bedrijf in stukjes zou snijden en elk deel aan een andere partij zou verkopen. Maar het grootste, belangrijkste, angstwekkendste en, vooral, steeds realistischer wordende verhaal was dat van een bijna onvermijdbaar wordend faillissement.

De ondernemingsraad stuurde een brief rond van het UWV. Die moest iedereen invullen en door de directie laten ondertekenen. Daarmee kon men dan het salaris opeisen. Niet dat het hielp, want er was geen euro meer om over te maken, maar het zou de procedure versnellen om na een faillissement het achterstallige loon te ontvangen van het UWV.

Ook Rolf was schoorvoetend naar de directie gelopen, met de ingevulde brief dubbelgevouwen in zijn hand.

Albert de Leeuw was een lange, nors kijkende en afstandelijke man met een opmerkelijk langgerekt hoofd. Een ouderwetse directeur. Eentje die weinig waarde hechtte aan het informeren van zijn personeelsleden en een dictatoriale manier van regeren had. Een man van details ook, die overal van op de hoogte wilde zijn en zijn managers weinig vrijheid gaf.

Toen Rolf bij hem binnenstapte zat De Leeuw juist aan de telefoon. Vanuit zijn ooghoeken had hij Rolf binnen zien komen. Hij knikte haast onzichtbaar naar hem, en draaide toen met zijn stoel van hem af.

Rolf stond wat ongemakkelijk met de dubbelgevouwen brief in zijn linkerhand in de deuropening. Hij wilde niet weglopen want hij had de handtekening nodig en voor je het wist was De

Leeuw de rest van de dag buiten de deur of in vergadering. Toch durfde Rolf niet pontificaal voor het bureau te gaan staan. Hij krabbelde wat aan zijn neus, hing even quasi-nonchalant tegen de deurpost aan, bedacht zich dat dat niet echt inspirerend overkwam, en ging dus maar weer snel rechtop staan. De Leeuw mompelde ondertussen voor Rolf onverstaanbaar in zijn telefoon. Rolf wist dat De Leeuw hem in de weerspiegeling van het raam in de gaten kon houden.

Hij moest denken aan die keer dat hij bij de conrector had moeten komen. Rolf had juffrouw de Roode uitgescholden voor trut. Dat mocht niet. De conrector gebaarde al bellend dat Rolf op de bank voor zijn kantoor moest wachten. Schuifelend had hij aan het gebaar gehoor gegeven. Tegenover autoriteiten met een bepaalde macht had hij zich nou eenmaal altijd onzeker gevoeld. Zo voelde Rolf zich ook nu hij bij de bellende De Leeuw stond te wachten: onzeker, niet op zijn gemak en alsof hij bestraft kon worden, al wist hij niet precies wat hij verkeerd had gedaan.

Juist op het moment dat Rolf zich om wilde draaien, om behoedzaam in het halletje voor de directeurskamer te gaan ijsberen, hing De Leeuw de telefoon op en gebaarde Rolf naar binnen te komen.

'Hai,' begon Rolf, 'ik... ik heb een handtekening nodig...u weet wel, voor mijn salaris.'

Even keek De Leeuw Rolf zwijgend aan. Een gevoel van onbehagen bekroop hem alsof hij zojuist een bezopen voorstel had gedaan waarvoor hij een uitbrander kon verwachten. Rolf voelde zijn adamsappel op en neer gaan.

'Dat teken ik niet,' bromde De Leeuw van onder zijn grijzige snor. 'Dat kost me geld.'

Rolf keek De Leeuw aan. Verbazing bekroop hem. Hij herhaalde zijn vraag in zijn hoofd. Geen bezopen voorstel. Slechts een vraag om een handtekening voor zijn salaris. Een salaris waarvoor hij een hele maand had gewerkt.

De Leeuw's strakke gezicht ontdooide.

'Grapje, Derks. Grapje. Kom maar hier met dat formulier.'

Rolf glimlachte uit beleefdheid, deed een paar stappen naar

voren, vouwde de brief open en overhandigde deze aan zijn directeur, die een bril op zijn neus zette, en zonder de brief verder te lezen hem van een datum voorzag en ondertekende.

In de dagen die volgden ging het steeds slechter met de firma. De bank hield al het geld vast en er werden geen rekeningen meer voldaan. Geen leverancier leverde nog materiaal. Geen onderaannemer stak ook nog maar één poot uit. Voor het personeel viel er steeds minder te doen. Het enige dat hen nog restte was het schrijven of bijwerken van de CV's, het aanmelden bij de Nationale Vacaturebank of bij Monsterboard, en het inschrijven als werkzoekende bij het UWV.
Het bedrijf was als een hersendode patiënt: het hart klopte nog wel, maar het leven was volledig verdwenen. Iedereen snakte naar het faillissement. Dat zou in ieder geval nog wat zekerheid bieden. De zekerheid van onzekerheid weliswaar, de onzekerheid van een werkeloze, de onzekerheid van een uitkering, maar de zekerheid van de wetenschap welke stappen er nu eindelijk ondernomen zouden kunnen worden en de zekerheid van een curator die zou gaan zeggen dat ze eindelijk naar huis mochten.

2

Darla, van administratie, had het al eens eerder meegemaakt. Darla had alles al eens eerder meegemaakt. Een echtscheiding (drie zelfs), een lichte hersenbloeding, een zwaar auto-ongeval en de martelgang van een schuldsanering. En dus ook al een eerder faillissement. Ze was dan ook ouder dan Rolf, 59 inmiddels. Een ware Amsterdamse. Niet alleen maar van geboorte; in al haar bloedvaten en slagaderen stroomde het hoofdstedelijke grachtenwater. Een luide stem, fel, direct in de omgang, brutaal, geblondeerd, en voor een vrouw van haar leeftijd verrassend modern in de omgang. Getekend door het leven liepen er rimpels rond haar ogen. Over haar voorhoofd en langs haar mond hadden diepe groeven zich verzameld. In de wandelgangen werd ze met regelmaat beschimpt. Oud. Heks. Beschimmeld. Uitgewoond. Met vrijwel alles dat lelijk of oud was, werd Darla als ze er zelf niet bij was vergeleken.

Rolf wist dat ze in haar tijd een mooie vrouw geweest moest zijn. Haar lichaam was nog altijd keurig in proportie. Een kont om bewonderend na te kijken. Twee volle borsten die na al die jaren niet veel meer dan een centimeter of vijf lager hingen dan dat ze vermoedelijk in haar hoogtijdagen hadden gedaan. Hoogtijdagen die zich toch zeker een jaar of dertig eerder af hadden gespeeld.

Darla zag er altijd verzorgd uit: dure merkkleding, modieus, smaakvol en vaak ook sexy. Korte rok, zwarte panty's en hoge lederen laarzen. Een laag uitgesneden decolleté, waar Rolf ondanks Darla's leeftijd altijd al een tikje nieuwsgierig naar had gekeken.

Die leeftijd deed Rolfs nieuwsgierigheid eigenlijk ook alleen maar toenemen: een zekere interesse in wat oudere vrouwen had hij nou eenmaal altijd wel gehad. Niet dat Rolf zijn neus ophaalde voor meiden van zijn eigen leeftijd - ergens tussen de twintig en de dertig - maar de gedachte aan een eenmalig avontuur met een rijpere vrouw had hem regelmatig momenten van opwinding bezorgd. Het was niet eens zozeer het uiterlijk, maar veel meer de uitstraling, de ervarenheid, de wijsheid, de zelfverzekerdheid. Een oudere vrouw, zo veronderstelde Rolf in zijn gedachten meermaals, was een vrouw die wist wat ze wilde, een vrouw die hem de baas zou zijn. En die gedachte alleen al prikkelde hem, ondanks dat hij geen idee had waarom.

De situatie rond het nakende faillissement zat Darla dwars. Eerder al, zo ging het verhaal, had zij staan fulmineren tegen De Leeuw, van wie zij vond dat hij er een teringzooi (Darla's eigen woordkeuze, ongetwijfeld ingegeven door het hoofdstedelijke grachtenwater in haar bloedvaten en slagaderen) van had gemaakt. De Leeuw was even van slag geweest vanwege het grove taalgebruik, maar Darla had hem geen tijd gegeven voor een weerwoord. Onverantwoorde risico's had hij genomen volgens haar. Risico's die híj zich wel kon veroorloven, met zijn riante villa in Aerdenhout, zijn hagelnieuwe X5, zijn boot, zijn zwembad, zijn buitenhuis in de Dordogne en zijn vele andere B.V.'s. Maar zij, het personeel, konden zich zijn risico's helemaal niet veroorloven en dankzij hem stonden er zo meteen hele gezinnen op de stoep van het UWV. Veel had De Leeuw niet terug gezegd. Desinteresse, veronderstelde Darla zelf. Desinteresse en een gevoel van verhevenheid boven het gepeupel dat op de loonlijst stond. Een lul was hij, zo besloot Darla: een lul. Ze zei het hem ook.
Het faillissement raakte Darla meer dan het vorige dat ze mee had gemaakt. Destijds was ze ergens in de dertig geweest en was er overal werk te vinden, maar nu de zestig hard dichterbij kwam en de arbeidsmarkt onder grote druk stond, vreesde ze voor een langdurige werkeloosheid. Eerder al, na haar tweede scheiding, had ze ervaren hoe een schuldsanering aanvoelde. En dat... dat wilde ze echt nooit meer.
Rolf bracht Darla de laatste twee weken iedere dag naar huis.

Ze woonde niet ver van kantoor, in Nieuw-Sloten, maar haar kleine Suzuki Swift had haar in de steek gelaten. Sindsdien stond haar auto ongebruikt voor de deur. Het geld voor een reparatie had ze nog wel, maar omdat de firma inmiddels in de penarie zat, had ze besloten nog even te wachten met geld uit te geven. Sindsdien kwam ze naar kantoor met het openbaar vervoer en bracht Rolf haar 's middags weer terug naar huis in zijn oude Golf. Hij hoefde er toch nauwelijks voor om.

Zo ook die donderdag. Rolf wees naar het overdekte winkelcentrum en vroeg: 'Is hier ergens ook een supermarkt?'

'Ja,' zei Darla, 'Boodschappen nodig?'

Rolf knikte.

'Koelkast is weer eens helemaal leeg. Droog brood, een halve tube mayonaise, drie vuilniszakken en bier. Meer vind je niet bij mij thuis momenteel.'

Darla grinnikte en zei: 'De mijne kan ook voller. Ik ga met je mee.'

Hij parkeerde de Golf op het parkeerterrein en samen liepen ze naar de C1000. Rolf graaide chips, frisdrank, twee bevroren pizza's, een leverworst en een tube mosterd bijeen.

'Dat is 't?' vroeg Darla met opgetrokken wenkbrauwen.

Rolf keek al even vragend terug.

'Daar leef jij op? Op pizza's, leverworst, een zak hamka's en wat cola?'

Enigszins sullig staarde Rolf met kierende mond naar zijn winkelmandje en daarna naar de hare. Daarin telde hij twee kommkommers, wat sla, een bloemkool, gehakt, brood, wijn, saus, sinaasappelen en nog wat ander spul. Zij frunnikte met de punt van haar tong aan haar boventanden waardoor haar mond opbolde. Toen knikte ze vragend met haar hoofd, alsof ze een antwoord van hem verwachtte.

'... Ja,' sprak Rolf aarzelend en met zachte stem.

'Daar kan een mens niet op leven. Eet jij wel eens groente? Fruit?'

Rolf krabde wat op zijn oor en schudde toen, enigszins schaamtevol, zijn hoofd.

'Niet zo vaak.'

Darla zuchtte moederlijk. 'Vanavond eet je bij mij. Groente met vlees.'

Zij sprak het uit alsof zij geen weerwoord zou accepteren. En dat gaf hij dan ook niet.

3

Darla woonde in een vierkant jaren '90 appartementencomplex. Zachtroze van kleur, drie verdiepingen hoog. De onderste woningen hadden kleine voortuintjes die eigenlijk niet meer waren dan terrasjes. Ze woonde op de eerste verdieping.

De bloemkool stond gekookt en in stukken gesneden in het midden van de rechthoekige eettafel op een onderzetter die Rolf herkende van de Ikea. De gekruide gehaktbal had hem alvast prima gesmaakt. Was ook al lang geleden. Vroeger, thuis bij moeder, at hij graag gehakt, maar sinds hij op zichzelf woonde at hij voornamelijk de snelle hap. Ovenpizza's, tosti's, gebakken ei met spek op brood, shoarma op pitabroodjes, stokbrood met ossenworst, soep uit blik, een zak chips of een combinatie van dat allemaal. Af en toe at hij bij zijn ouders, dat wel, maar hoewel zijn moeder kon koken zoals moeders horen te koken, zaten ze in de meeste gevallen bij de bevriende Chinees op de hoek van de straat. Veel uitgebreider dan dat was Rolfs menukaart niet.

'Smaakt het?' Darla keek toe hoe Rolf zijn eerste hap bloemkool nam.

Met een volle mond, waar hij de rug van zijn met een vork gevulde hand tegen aan hield, knikte Rolf van ja.

'Je moet jezelf wel goed verzorgen, Rolf. Gezond eten is goed voor je.'

'Klopt, maar ik ben gewoon niet zo goed met koken,' wierp hij tegen terwijl hij haastig een hap wegslikte.

Dat antwoord accepteerde Darla niet: 'Bloemkool kan iedereen maken. Schoonmaken en in een pan met water doen, aan de kook brengen, en twintig minuten laten staan. Kind kan de was doen.'

Rolf haalde zijn schouders op.

'Ik heb er ook nooit zo'n zin in.'

'Dat lijkt mij eerder de reden.'

Rolf lachte.

'Beter voor jezelf zorgen, Rolf Derks.'

'Je had kinderen moeten nemen, Darla, Dan had je hen kunnen vertellen dat ze voldoende groente en fruit moeten nemen.'

'Wie zegt dat ik geen kinderen heb?'

Rolf schrok en vroeg zich vertwijfeld af of hij niet per ongeluk een gevoelig onderwerp aan had gesneden.

'Heb je die wel dan?' Hij vroeg het op een verontschuldigende toon.

Darla keek even naar haar bord, waarop de fijngesneden bloemkool en een plasje kaassaus lag. Rolf nam zijn laatste hap terwijl hij zich afvroeg wat ze zou antwoorden.

'Die heb ik wel. Een zoon: Lars.'

'Dat wist ik niet.'

'Hij woont ook al jaren niet meer bij mij. Hij is van mijn eerste man. We gingen uit elkaar toen Lars acht jaar oud was. Ik ging weg. Hij bleef achter bij zijn vader. Hij is ongeveer net zo oud als jij bent.'

'Zie je hem niet meer?'

Darla slikte een hap weg.

'Jawel hoor. Niet iedere week of zo, maar wel regelmatig. Zo zie je maar Rolf, denk nooit dat je iemand kent, alleen maar omdat je weet wat zijn of haar naam is. Een wijze les van een oudere vrouw die dat jaren geleden al aan den lijve ondervonden heeft. En wijze lessen van oudere vrouwen dien je in je oren te knopen.'

Ze zwegen even. Darla at haar bloemkool en Rolf zat enigszins ongemakkelijk op zijn eettafelstoel. Hij vroeg zich af waarom hij hier was. Zeker, hij kon het goed met Darla vinden, maar wat deed hij nou eigenlijk hier, bloemkool etende, bij een veel oudere vrouw die een zoon had van zijn leeftijd? Waarom had ze hem meegevraagd? Eenzaamheid? Gezelschap zoekend? Of zat er iets achter? Een man en een vrouw aten toch nooit zomaar samen? Daar zat toch altijd iets achter? Hij had zichzelf er al twee keer op betrapt dat hij haar nakeek toen zij naar de keuken was gelopen en hij nog op de huiskamerbank zat. Ze had een strakke spijkerbroek aan, met daarboven een witte blouse, die van voren, zoals gebruikelijk bij Darla, flink wat prijs gaf. En ja, ook daar had hij, alleen al tijdens het eten, regelmatig naar gekeken.

'Het lag aan mij,' ging Darla verder nadat ze haar laatste hap had weggeslikt. 'Dat Lars bij zijn vader ging wonen; dat lag aan mij. Ik was in die tijd gewoon nog niet echt klaar voor een keurig geordend gezinsleven, was nog veel te wild. Het lag ook aan mij dat ons huwelijk stuk liep. Ik deed het met een ander. En nog een ander. Mijn man, mijn eerste man, Rutger heet hij, is een schat. Echt. Ik zie hem nog af en toe. Hij verdiende beter dan een vreemdgaande vrouw. Het heeft ook lang geduurd voordat ik Lars op waarde kon schatten. In die tijd vond ik hem vaak gewoon irritant. Een ventje dat mijn tijd opslokte en ervoor zorgde dat ik mijn vrijheid kwijt was. Daar was ik gewoon nog niet aan toe.' Darla schoof het bord van zich af en voegde op een vrolijkere toon toe: 'Ik was een wilde meid vroeger, Rolf. Deed alles wat God verboden heeft. Drank. Drugs. Mannen. Mannen. Mannen. Altijd maar die mannen.'

Ze keek hem uitdagend aan. Alsof ze een verbaasde reactie verwachtte, maar die bleef uit. Verbazing was het niet, althans niet over wát ze zei, maar wel over het feit dat ze het tegen hém zei. Tegen hem, gewoon een collega die bijna nooit groente at.

4

Een week later was er geen bloemkool, maar spinazie. Spinazie met karbonade, geflankeerd door champignonsaus. Het was Rolfs laatste dag op kantoor geweest, zo had de curator bepaald. Het personeel was collectief ontslagen. Hij was verder niet meer nodig, werd bedankt voor bewezen diensten, succes gewenst met zijn toekomst, en kon zich gaan richten op het aanvragen van een uitkering en de speurtocht naar een nieuwe baan. Darla mocht nog wel even blijven gedurende haar wettelijke opzegtermijn. Althans voorlopig. Zij zou nog een aantal dagen of weken zoveel mogelijk moeten factureren en andere administratieve handelingen afwerken.

Gezeten aan de rechthoekige eettafel hadden de twee het dit keer over het naderende afscheid, over de collega's die ze wel of niet zouden gaan missen, over de goede tijden, de leuke momenten, de bedrijfsuitjes en de dingen die ze zeker niet zouden gaan missen. Die ene vervelende klant, die voor een lage prijs altijd een topbehandeling had gewenst. Of die gozer van de tweede, die altijd zo stonk naar zweet. Na het eten rookten ze gezamenlijk nog een sigaretje op het balkon. Darla was al jaren gestopt, maar bietste er soms eentje, gewoon, voor de smaak, maar nog meer voor de gezelligheid.

Toen Darla even later in de keuken stond om koffie te zetten, werd er aangebeld.

'Dat zal mijn zus zijn. Doe even open als je wilt!'

Rolf stond op en liep naar de deur. Door het glas heen zag hij een schim staan.

'Hoi,' klonk het toen de vrouw Rolf zag staan. De groet ging gepaard met een klank die een lichte vorm van positieve verbazing verraadde. Ze was niet heel groot, 1 meter 68 schatte Rolf.

De vrouw had kort, vermoedelijk geblondeerd haar, dat modern en stekelig de lucht in stak. Ze had een flink opgemaakt en zonnebankbruin gezicht, met sterke accenten rond haar ogen, donker getekende wenkbrauwen en haar lippen waren hardrood ingekleurd. Haar lange, zwarte jas hing open, en Rolf keek automatisch naar de benen die tussen de jas, en onder de leren rok uitkwamen. Haar linkerhand stak voor haar jas langs in haar zij. Felrood gelakte, lange kunstnagels sierden haar vingertoppen.

'En jij bent...?' vroeg ze.

'Rolf. Ik ben Rolf.'

'Rolf,' klonk het overdenkend. 'En jij bent het nieuwe speelgoed van mijn zus?'

Rolf voelde zijn wangen rood worden terwijl hij een paar keer overtuigend 'nee' schudde.

'Zou ik wel willen hoor,' klonk Darla ineens achter hem, 'maar zover heb ik hem nog niet!' Darla en haar zus gierden het uit terwijl Rolf er, niet helemaal op zijn gemak, een gemaakte grijns uit kon persen.

'Dit is Charlotte, mijn jongste zus. Erg gek op jongere mannen, dus je bent gewaarschuwd, Rolf.'

Charlotte gaf Darla een plagerige por en daarna een leukjeweertezienzusknuffel.

Ze was 51, zo zei Charlotte. Gescheiden, niet drie keer zoals haar zus, maar twee keer. De eerste keer scheidde ze van een veel oudere Griek die haar had bedrogen met een vent.

'Wist ik meteen waar de uitdrukking 'op zijn Grieks' vandaan kwam,' giechelde ze. Haar tweede man was Pieter de Koog, een vriendelijke, lieve, goedzakkige man, zo vertelde Charlotte. Daar was ze ongeveer een jaar of anderhalf geleden, na een van haar kant kleurloos huwelijk, eindelijk van gescheiden. Hij veranderde. Werd bitter. Grimmig. Wraakzuchtig. De scheiding werd een helletocht naar de rechter. Pieter had gepoogd Charlotte financieel uit te kleden en berooid achter te laten.

'Dat lukte hem niet erg,' zei Darla. 'Lot mocht het huis houden. Een enorme villa in Blaricum. Je weet wel: in 't Gooi. En geld. Veel geld.'

'Maar ook na de scheiding heeft Pieter nog geprobeerd om me

het leven zuur te maken, op allerlei manieren. Hij was gekwetst, jaloers, noem maar op. De vriendelijke man was helemaal verdwenen. Ik herkende hem niet meer terug. Maar ja, de laatste tijd niet veel last van hem gehad. Gelukkig maar.'

'Lot en haar kerels,' mijmerde Darla. 'Er kunnen boeken over geschreven worden.'

'Ach Dar, jij hebt heel wat meer kerels versleten dan ik. Ik heb alleen de wat rijkere getroffen.'

Darla sloeg Charlotte met een kussen van de bank op haar hoofd en riep gierend iets naar haar zus over het zijn van een golddigger. Charlotte sloeg terug met een ander kussen. Rolf zat er al die tijd wat ongemakkelijk bij. Daar zaten dan twee meer dan middelbare dames te praten over hun beider liefdesleven en elkaar als tienermeiden met kussens te bewerken. Hij wist zichzelf niet goed een houding te geven en vroeg zich af of het beleefd was om nu weg te gaan. Misschien kon hij een reden opgeven. Dat hij moest sporten of zoiets. Of met vrienden had afgesproken.

'En jij Rolf. Heb jij een vriendin?' Charlotte keek hem vragend aan terwijl ze uit haar tasje een pakje sigaretten peuterde.

'Nee. Momenteel niet.'

'Wel gehad?'

Rolf knikte. 'Ja. Een paar maanden geleden is het uit gegaan.'

'Waarom?'

'Gewoon. Ging niet meer.'

'Wat ging niet meer?'

'Alles. We hadden elkaar gewoon niet zoveel meer te zeggen.'

'Heb jij het uitgemaakt?'

'Nee. Samen.'

Charlotte stak een Camel in haar mond.

'Rook je?' vroeg ze aan Rolf.

Hij knikte.

'Kom,' zei ze, 'gaan we naar het balkon.'

Rolf liep achter Charlotte aan. Hij bekeek haar van achteren. Ze heupwiegde iets dikker aangezet dan de meeste vrouwen, maar deed het met een natuurlijke schwung. Geen namaak. Geen aangeleerde manier van verleiden, maar meer vanuit een aange-

boren elegantie. Ze bewoog zich met een mate van zelfverzekerdheid die hem boeide, die hem aantrok.

Op het balkon vroeg hij wat voor eigen bedrijf ze eigenlijk had
maar ze gaf als antwoord dat werk er niet toe deed. Werk was
volgens haar slechts een door de maatschappij opgelegde manier om het leven te bekostigen. Niet interessant genoeg om
over te praten. Hij hoefde zich volgens haar ook geen zorgen te
maken over het faillissement. Het deed er niet toe. Werk was
slechts verplicht tijdverdrijf en totaal niet van invloed op de
mate van iemands levensgeluk. Rolfs tegenargument dat een
gebrek aan inkomsten zijn levensgeluk wél zou kunnen beïn-
vloeden, wuifde ze subiet weg: 'Je hebt geen baan nodig om
geld te verdienen, Rolf.'

Hij wist niet wat ze bedoelde, wilde het haar ook niet vragen en
keek zwijgend toe hoe zij haar sigaret rookte. Met haar heup
leunend tegen de balkonleuning. De hand van haar gebogen
rechterarm steunend onder de punt van haar linkerelleboog. De
sigaret in haar linkerhand, op korte afstand gehouden van haar
mond. Gestrekte vingers. Telkens als zij een haal nam, tuitte zij
haar lippen op voorhand. De rook blies ze in een lange rechte
strook uit haar mond. Geen enkele keer liet ze het zomaar wat
ordinair tussen haar lippen vandaan dwarrelen. Nooit ademde ze
het uit door haar neus. Roken deed ze, net als het heupwiegen,
met een natuurlijke elegantie en met stijl.

Toen Rolf die avond terug naar huis reed, moest hij constant
aan haar denken. Aan Charlotte. Ze was een indrukwekkende
verschijning, vond hij. De mate van zelfverzekerdheid die ze
uitstraalde was flink bij hem binnengekomen. Achter alles wat
ze zei, wat ze dacht, zelfs wat ze vroeg, zat een bepaalde dwingende, overtuigende gedachte. Alsof zíj wist hoe het leven geleefd moest worden en de rest van de wereld niet. Hij besloot
dat hij haar opwindend vond. Zo opwindend dat hij 's avonds
laat toen hij in bed lag weer aan haar moest denken. Hij fanta-
seerde over hoe het zou zijn om alleen met haar te zijn. Om haar
te strelen, te ruiken, te voelen, haar borsten te omvatten, om met
haar te vrijen. Zij zat vanaf dat moment in zijn hoofd. Meer nog

dan dat zijn ex-vriendin Mariska, misschien wel ooit gedaan had op het hoogtepunt van hun relatie.

5

Zijn telefoon herkende het nummer van het sms-je dat hem die morgen toegezonden werd niet. Er stond alleen maar in dat de afzender hem wilde zien. Hij besloot meteen te antwoorden.

'Leuk, maar wie ben jij?'

Het antwoord kwam direct en deed Rolf achterover vallen op zijn bed:

'Charlotte.'

Even lag hij daar. Voeten op de grond, bovenlichaam op het bed. De armen wijd gespreid en de telefoon rustend op zijn linkerhand. Ze wilde hem zien. Charlotte. Hij vroeg zich af waarom. Het enige antwoord dat hij kon bedenken was de optie waaraan hij niet eens durfde te denken, namelijk dat zij hem leuk vond. Rolf probeerde een andere reden te bedenken, dat zij een baan voor hem had of zoiets. Maar dat leek hem sterk. Zeker na wat zij gisteren had gezegd over werk. Rolf stond op en liep naar de douche, trok zijn boxershort uit en draaide de kraan open. Terwijl het warme water over zijn lichaam stroomde bedacht hij zich of hij gisteren misschien iets had laten liggen. Dat ze hem daarom wilde zien. Hij kon echter niet bedenken wat hij dan zou zijn vergeten en bovendien zou Darla hem dan wel zelf gebeld hebben. Steeds weer kwam hij op de reden uit dat Charlotte hem nogmaals wilde zien omdat zij hem leuk vond. En steeds weer probeerde hij die gedachte uit zijn hoofd te bannen omdat hij aan die optie niet wilde denken. Want wat als het zo was? Wat dan?

Natuurlijk, hij vond haar interessant en opwindend. En ja, hij had vaker gedacht en verlangd naar intimiteit met een vrouw die ouder was dan hijzelf. Zij voldeed ruimschoots aan alle criteria en zelfs nog wel aan meer dan dat, maar wat als hij nou echt in die situatie zou komen? Zou het dan alleen maar gaan om seks? Om de banale voldoening van het ordinaire neuken? Of zou het gaan om meer dan dat? Was het eigenlijk wel mogelijk om een serieuze relatie op te bouwen met een vrouw van haar leeftijd? Een vrouw die ook nog eens woonde in een villa in 't Gooi en die waarschijnlijk meer geld had dan dat hij ooit zou kunnen verdienen. Wat zou hij zo'n vrouw ooit kunnen bieden? Zijn jeugdigheid hooguit. Zijn jongensachtige verschijning. Een strak en sterk lichaam, nog niet aangetast door de slopende werking van de alsmaar doortikkende tand des tijds. Meer dan dat kon hij niet bedenken, hoezeer hij er in dat krappe halve uur onder de douche ook over nadacht.

Nadat Rolf zichzelf weer had afgedroogd en aangekleed, plofte hij met een mok koffie neer op zijn gerafelde bank en keek om zich heen. Wat hij zag beviel hem niet. Een via internet gevonden en gratis opgehaalde salontafel. Vierkant. Met ingebrande plekken van hete koppen thee of koffie die er ooit, zonder het gebruik van een onderzetter, op waren gezet. Had hij destijds afgehaald bij een jong gezin dat op Java-eiland woonde, in Oost. 'Gaat nog zeker twintig jaar mee,' had die vent nog gezegd. Misschien nog wel langer, dacht Rolf, maar het zag er niet uit. En dan de kast. Of kast… planken met deuren waren het. Bouwmarkt. Honderd euro. Twee verhuizingen. Rammelkast. Letterlijk.

Onder zijn twijfelaartje lag een lattenbodem. Zo eentje met van die losse latten. Toen hij nog met Mariska seks had waren die latten er met regelmaat en met een doffe klap onderuit gevallen. Een keer waren ze zo wild bezig geweest dat er vier latten één voor één naar beneden waren gedonderd. Met iedere stoot die Rolf gaf, beukte hij Mariska met haar kont verder weg in het flinterdunne matras, dat zich meer en meer door het overgebleven gat heen perste. Rolf moest zijn stijve uit haar nemen en vloekend en tierend de latten terug leggen op hun plek. Later

hadden ze daar smakelijk om moeten lachen. In hun vrienden-
groep werd het zelfs een terugkerend verhaal tijdens feesten,
verjaardagen en oudejaarsvieringen: Mariska die met haar kont
door het bed heen geneukt werd. Laura, Mariska's vriendin en
amateur-kunstenares, had er tot grote hilariteit van iedereen,
zelfs een sculptuur van gemaakt. Ze overhandigde het beeld
toen Rolf en Mariska hun eenjarig samenzijn vierden ten overstaan van iedereen.

Zou hij dat iemand als Charlotte aan kunnen doen? Een 51-
jarige Gooische Vrouw die met haar gepoederde kont een halve
meter door de latten heen zakt, terwijl haar jonge minnaar haar
net wild aan het berijden is?

Rolf pakte zijn telefoon en las nogmaals de laatste berichten.

'Ik wil je zien'

'Leuk, maar wie ben jij?'

'Charlotte'

Gedachteloos sloeg hij het telefoonnummer op in zijn digitale
telefoonboek onder de naam 'Lot'. Daarna typte hij een nieuw
bericht.

'Is goed. Waar? Wanneer?'

Hij keek naar de getypte tekst en herlas het. En nog eens. En
nog eens. Toen typte hij het woord 'Leuk!' ervoor, om iets en-
thousiaster te lijken. Maar dat zou wel eens iets té enthousiast
over kunnen komen en dus haalde hij het direct ook weer weg.
Hij vroeg zich af of hij moest vragen waarom zij hem wilde
zien. Dat was namelijk de vraag die constant door zijn hoofd
heen maalde. Waarom toch? Waarom wilde zij hem zo graag
nogmaals zien dat zij hem direct de volgende morgen alweer
een sms-je had verzonden. Hij zou dat zelf nooit hebben gedaan. Hij zou zelf zeker één of twee dagen hebben gewacht als

hij met een meisje weg zou zijn geweest dat hij leuk vond. Misschien nog wel langer dan dat, om maar niet te gretig over te komen. Hij besefte maar al te goed dat het een vorm van onzekerheid was. Een bepaalde indruk proberen te wekken, zoals niet te gretig willen zijn, terwijl je eigenlijk juist niets anders dan gretig wíl zijn. Maskering van onzekerheid, van twijfel. Zij, Charlotte, had daar geen last van. Niks onzekerheid. Niks twijfel. Zij wilde hem nogmaals zien en haar zelfverzekerdheid dwong haar dan ook direct en onomwonden hem een sms te sturen. Waarschijnlijk hield zij zich helemaal niet bezig met wat voor indruk het zou wekken of welke tactiek het beste zou werken. Met dat soort infantiele brugklasbezigheden hield een Gooische Vrouw met haar status zich niet bezig.

Rolf drukte op 'verzenden' en zag op zijn beeldscherm een envelopje door de lucht heen vliegen totdat de tekst 'uw bericht is verzonden' in beeld verscheen. Uit een soort angst voor wat hij net gedaan had gooide hij zijn telefoon snel in de hoek van de bank en vouwde zijn armen demonstratief over elkaar.

Zo zat hij daar een paar minuten. Zijn been trilde op en neer. Rolfs ogen gleden een aantal keren naar de display van de telefoon die naast hem op de bank lag. Niets. Geen knipperend lampje. Geen oplichtend display. Niets.

Rolf stond op, liep naar de keuken, schonk zijn mok nogmaals vol met koffie en liep terug naar de kamer. Hij liet zich vallen op de bank en pakte zijn telefoon op om te kijken of hij wellicht een bericht had gemist. Maar dat was niet het geval.

Het was zijn eerste dag als werkeloze, bedacht hij zich ineens. Hij vroeg zich af of er misschien iets was dat werkelozen dienden te doen. Hij kon niets bedenken, al deed hij daarvoor ook niet bijster zijn best.

De klok wees aan dat het nog geen half elf was. Dat schoot niet erg op zo. Rolf pakte de afstandbediening, zette de tv aan, en zapte vlot en gedachteloos langs de zenders. Veel meer dan herhalingen van nieuwsuitzendingen en actualiteitenprogramma's was er niet. Pas bij Eredivisie Live bleef hij hangen. Herhaling van Ajax – Roda JC, een wedstrijd die een paar dagen eerder al was gespeeld. Rolf legde zijn hoofd achterover op het

rugkussen van de bank en keek door de spleetjes van zijn ogen naar de wedstrijd. Zo zat hij daar. Vijf minuten. Tien minuten. Kwartier. Bewegingsloos. Doelloos. Hopeloos. Werkeloos.
Net op het moment dat hij indommelde trilde de telefoon naast hem. Hij draaide zijn hoofd en zag de opgelichte display met een gesloten envelop. Hij voelde zijn hart onmiddellijk in zijn keel kloppen, pakte de telefoon en opende het zojuist binnengekomen bericht.

'Vanavond. Bij mij thuis. Negen uur.'

Rolf greep naar zijn voorhoofd en ademde met korte, snelle stoten. Hij besloot niet te wachten, want hij wilde volwassen overkomen en zeker geen indruk van onzekerheid wekken. Hij stuurde direct een bericht terug.

'Is goed. Adres?'

Onmiddellijk volgde een terugbericht.

'Naarderweg 220 Blaricum.'

Rolf twijfelde of hij nog een laatste bericht zou sturen. Iets als 'oké'. Of: 'tot straks.' Maar hij besloot het zo te laten.

6

'Zeg 't eens,' bromde een donkere basstem door de kleine speaker die op een paal voor het grote ijzeren entreehek stond.

Rolf schrok even van de stem. Net zo als hij een kleine minuut eerder was geschrokken van de aanblik van de enorme poort voor de oprijlaan die tussen de bomen heen slingerde en eindigde bij een enorm huis dat hem deed denken aan de serie North and South die hij ooit op DVD had gezien. Een serie over het wel en wee van twee families tijdens de Amerikaanse burgeroorlog. Grote, witte voorgevel, met twee enorme ronde palen die het terras van de eerste verdieping op zijn plek hielden.

'Rolf Derks. Ik heb een afspraak met Charlotte om negen uur,' zei Rolf uiteindelijk. Hij bedacht dat hij niet eens wist hoe Charlotte van haar achternaam heette. Haar meisjesnaam moest Van Loon zijn, net zoals die van Darla, maar misschien had zij de naam van haar ex-man wel aangehouden. Rolf had geen idee.

Er kwam geen antwoord, maar het hek ging langzaam open. Rolfs kont gleed onrustig over de zitting van zijn oude Golf. Hij voelde zich niet op zijn gemak en vroeg zich af of hij er wel verstandig aan deed om naar Charlotte toe te gaan. Misschien had hij eerst met Darla moeten bellen. Vragen wat zij ervan vond. En of zij misschien wist waarom Charlotte hem zo graag wilde zien.

Rolf reed langzaam over de oprijlaan en parkeerde even later op het grindpad voor het huis naast een Mercedes cabriolet en een Porsche Cayenne.

Hij stapte uit, bleef even stil staan naast zijn Golf en keek om zich heen naar de bomen en de fraai aangelegde tuin met vierkant gesnoeide bebossing waartussen zich een wirwar van paden heen slingerde. Hij draaide zich naar het huis. Een enorme voordeur met grote rechthoekige ramen ernaast. Rolf liep langzaam de trap op die naar de voordeur leidde en drukte op de opvallend eenvoudige deurbel.

Een reusachtige lichtbruine vent die gemakkelijk de tweemeter grens overschreed en een grote kale kop had, deed open en keek hem uitdrukkingsloos aan. Rolf schraapte zijn keel uit ongemak. Hij stak zijn hand naar voren en stelde zich voor. De grote kale vent keek naar de uitgestoken hand, toen weer naar Rolfs gezicht en zei: 'Loop maar mee.'

Ze gingen een enorme hal binnen. Een grote statige trap die halverwege zowel naar rechts als naar links afsplitste vulde een flink deel van de hal. Rolf liep achter de man aan richting een deur aan de linkerkant van de trap. De man gebaarde dat Rolf daar naar binnen mocht gaan en verdween toen naar boven. Zachtjes klopte Rolf op de deur.

'Kom maar!' riep een vrouwenstem die Rolf herkende van de avond ervoor. Schuchter opende hij de deur en keek de kamer in. Charlotte kwam al lachend op hem aflopen.

'Leuk dat je gekomen bent!' zei ze.

Rolf knikte. 'Vind ik ook.'

'Wil je wat drinken? Wijn? Whisky?'

Rolf schudde zijn hoofd. 'Liever een biertje.'

'Heb ik ook. Fles of tap?'

'Tap.'

Charlotte verdween door een deur om even later terug te komen met een pul vers getapt bier en een glas rode wijn. Rolf stond nog waar zij hem achter had gelaten.

'Je mag wel gaan zitten hoor,' glimlachte ze en ging hem voor naar de in U-vorm uitgevoerde witleren bank die voor de open haard stond en waar ze op ging zitten.

'Is dit allemaal van jou?' vroeg Rolf terwijl hij naast haar op de bank neer streek.

'Ja. Twee keer trouwen in gemeenschap van goederen en weer scheiden levert tegenwoordig flink wat op.'

Ze lachte zelfvoldaan. Zoals ze alles zelfvoldaan deed.

'Wie was die man die open deed? Die met dat kale hoofd?'

'Dat is Balou. Die werkt al bijna twintig jaar voor me. Al sinds

mijn eerste huwelijk. Balou zorgt voor mijn welzijn en veilig-
heid. Als je in dit soort wijken woont heb je nou eenmaal een
bepaalde mate van beveiliging nodig.'

'Balou,' herhaalde Rolf op zachte toon.

'Is niet zijn echte naam. Eigenlijk heet hij Herbert. Maar dat
vond ik niet zo goed bij hem passen. Balou past hem beter. Hij
heeft wel wat van een beer, vind je niet?'

Dat vond Rolf ook.

Even viel er een stilte. Zo eentje die Rolf onderweg naar Blaricum al had gevreesd. Charlotte maakte er snel een eind aan en
zei: 'Vraag je je niet af waarom ik je gevraagd heb te komen?'

Rolf trok wat aan zijn onderlip. Hij had zich dat de hele tijd
afgevraagd. Vanaf de eerste sms tot aan het moment dat Balou
de deur open deed, had hij feitelijk aan niets anders gedacht dan
aan het Grote Waarom van deze ontmoeting.

'Ik heb het me inderdaad afgevraagd.'

Ze keek hem strak in zijn ogen aan. Dat wilde hij ook wel bij
haar doen, maar het lukte hem niet. Steeds weer dwaalden zijn
ogen van de hare af, uit onrust, uit ongemak. Zij had de rust en
controle die hij maar niet kon vinden.

'Waarom denk je dat ik je vroeg te komen?' ging ze verder.

'Weet ik niet.'

'Echt niet?'

Hij schudde zijn hoofd.

Zij bewoog langzaam met haar vingers over zijn wang. Hij
voelde een siddering. Met haar lange nagels kriebelde ze aan
zijn oorlel. Zijn mond kierde een beetje open, zijn adem versnelde, hij slikte. Nu keek hij haar wel aan.

Haar hand gleed van zijn gezicht af en greep naar het pakje
Stuyvesant dat op de salontafel lag. Ze nam twee sigaretten uit
het pakje en bood hem er eentje aan. Zonder iets te zeggen pakte hij het aan en stak hem in zijn mond. Charlotte stak eerst de
hare aan en hield daarna de brandende aansteker bij Rolfs
mond. Ze puntte haar ellebogen in haar dijen en keek richting
de open haard.

'Hoe heette je vriendin?' Charlotte zei het zonder hem aan te
kijken. 'Die vriendin van je, met wie het een paar maanden

geleden uitging, hoe heette zij?'

'Mariska,' antwoordde Rolf zachtjes en langzaam.

'Mariska,' herhaalde ze. 'Mariska.' Ze naam een haal van haar sigaret. 'En hoe oud is Mariska?'

'23.'

'23.'

Rolf knikte.

'Een meisje nog,' ze zei het met het dédain van een oudere vrouw. 'Val jij op meisjes, Rolf Derks, of val jij op vrouwen?'

Ze bleef volhardend kijken naar de open haard. Rolf overwoog zijn opties. Als hij zou zeggen dat hij op vrouwen viel was dat eigenlijk meteen een verklaring dat hij op haar viel en dat hij daarom op haar verzoek om langs te komen was ingegaan. Zou hij zeggen dat hij op meisjes viel, dan stootte hij haar van zich af.

'Op beiden.' Het kwam er stamelend en zonder overtuiging uit, alhoewel het hem veruit het beste antwoord leek. Neutraal. Veilig.

Ze zweeg. Ze rookte. Ze keek naar de open haard. Rolf probeerde hetzelfde te doen maar zijn ogen draaiden vanuit hun hoeken steeds maar weer haar kant op. Zwijgend drukte ze haar sigaret uit in de asbak. Toen draaide zij haar linkerbeen op de bank, drukte haar linkerelleboog in de rugleuning en keek naar zijn profiel. Hij voelde zich gloeien. Van begin af aan was zij in controle. Zij stuurde de sms. Zij liet hem langskomen. Zij stelde de vragen. Zij legde haar hand op zijn wang. Al die tijd had hij zich onzeker afgevraagd wat er ging gebeuren. En dat deed hij steevast met een bepaalde opwinding die sinds hij haar nog geen 24 uur eerder had ontmoet over hem heen was gevallen. Nu was het zijn beurt om een sigaret uit te drukken in de asbak.

7

De avond verliep zoals dat soort avonden verlopen. Na haar aanvankelijk uitdagende toenadering, zocht Charlotte nu haar heil in normalere conversatie. Zo keuvelden ze wat over wonen in 't Gooi, over haar huis, de instortende huizenprijzen, Darla, het faillissement, Rolfs jeugd en meer van dat soort onderwerpen, terwijl er ondertussen bier en wijn werd gedronken en sigaretten werden gerookt. Charlotte zei dat ze niet in de huidige crisis geloofde. Zij meende dat het een door staatslieden, politici en topmensen uit het zakenleven bedacht fenomeen was. Zij was ervan overtuigd was dat het slechts een gecreëerde crisis was, die eens in de zoveel tijd plaats moest vinden om de wereldeconomie te zuiveren van slecht bestuurde bedrijven en banken.

'Noem het een economische zuivering,' zei ze. 'Alleen de sterksten zullen overleven en de zwakkeren zullen worden uitgeroeid. Er is helemaal geen gebrek aan geld, dat is er in overvloed. Er is alleen een gebrek aan vertrouwen. En dat is opzettelijk gecreëerd door de machthebbers.'

Rolf wierp tot zijn eigen verbazing tegen dat dat een nogal Gooische opvatting was, maar zij wuifde dat enigszins theatraal weg.

De aanvankelijke opwinding en het ongemak verdwenen bij Rolf gedurende de avond. Het was net alsof twee mensen volkomen doelloos op een bank zaten te praten, genietend van elkaars gezelschap, drinkend, etend, maar zonder spanning, zonder lading, zonder ergens specifiek naar toe te werken.

Rolf was dan ook enigszins verrast toen Charlotte opeens zei: 'En nu ben ik klaar met praten,' terwijl zij zich zijn kant op draaide. 'Nu wil ik wat zien.'

Hij keek haar met opgetrokken wenkbrauwen aan.

'Je wilt... iets zien?'

Met een elleboog op de rugleuning en de hand aan de zijkant van haar hoofd keek zij hem met een spannend mondje aan.

'Weet je wat ik heel erg opwindend vind?'

Rolf voelde ineens een donker gevoel in zijn maag en schudde zijn hoofd.

'Als jij je hier voor mij eens gaat uitkleden.'

Rolf beet op zijn onderlip. 'Ben je... ben je serieus?'

Ze knikte. 'Als het om jonge, spannende mannen gaat ben ik altijd serieus.'

'Nu, bedoel je?'

'Nee, met de kerst,' grapte ze. 'Natuurlijk nu!'

Rolfs gedachten fladderden wild en ongecontroleerd door zijn hoofd. Hij dacht aan Balou, die hier ergens in huis rond zwierf en zomaar binnen zou kunnen vallen als hij in zijn blootje voor Charlotte zou staan. Hij dacht aan wat zij van plan zou zijn. Misschien hingen hier wel ergens camera's en zou zijn striptease zo meteen ergens op het internet zwerven. Hij dacht aan haar, aan seks met haar, en zijn hart klopte, dreunde, hamerde, in zijn keel.

'Kom,' zei Charlotte, die blijkbaar overtuigd was van haar controle over hem, 'schiet eens op. Ik word er niet jonger op zo.'

Hij kreeg het warm, keek even om zich heen, waarom wist hij zelf niet, en stond op. Een voldane lach vulde haar gezicht. Ze ging recht zitten, sloeg zowel haar benen als haar armen over elkaar, ten teken dat zij eens goed naar hem ging kijken, terwijl hij vertwijfeld een meter of twee voor haar ging staan.

'Eerst mijn bovenlijf?' Hij vroeg het met een zacht, onzeker stemmetje dat hem zelf irriteerde. Zij haalde haar schouders amper merkbaar op, ten teken dat hij het zelf mocht verzinnen. Langzaam knoopte hij zijn overhemd los. Haar ogen verloren hem geen moment uit het oog, terwijl hij haar blik juist probeerde te ontwijken. Rolf voelde zijn opwinding aanzwellen. Hij liet zijn overhemd vallen op de grond. Zij knikte tevreden richting de jongeman die daar vol twijfels in spijkerbroek en ontbloot bovenlijf voor haar stond.

'Ga eens door,' zei Charlotte terwijl zij haar hand in de lucht heen en weer draaide, ten teken dat ze weinig zin had om te wachten. 'Schoenen, sokken, broek, kom op. Verlegenheid is één van de zwakste der menselijke eigenschappen en dient geen enkel doel.'

Rolf bukte en trok met één beweging de veters van zijn Allstars los, eerst de linker, daarna de rechter, en schopte ze met de punt van zijn voeten één voor één uit. Daarna deed hij, steeds balancerend op een voet, zijn sokken uit. Even keek hij haar aan. Zij ving zijn blik met de hare, trok haar wenkbrauwen omhoog en krulde haar mondhoeken. Ze knikte met haar hoofd richting zijn broek. Een nerveus kuchje verliet zijn mond. Hij trok zijn riem los, knoopte de jeans open en rolde zijn broek naar beneden. Even ging hij rechtop staan en dacht na over wat hij aan het doen was. Daar stond hij dan. In een Gooische villa, met de broek op zijn enkels, in opdracht van een vrouw die met gemak zijn moeder had kunnen zijn. Hij rommelde gebukt de broek van zijn voeten en schopte deze naar de zijkant. Charlotte pakte een sigaret, stak hem aan, ging voorover zitten, en blies de eerste rook door haar mond Rolfs richting op.

Hij frunnikte wat aan zijn onderbroek. Zij keek toe en zag de erectie in zijn boxershort. Het was de erectie die haar de controle gaf. Zij wist dat. Hij wist dat ook.

Ze doofde haar sigaret en liet zich achterover vallen terwijl zij haar ogen heen en weer over zijn lijf deed bewegen. Ze glimlachte met een voldaanheid die hij maar zelden had gezien. Het was stil, doodstil, en die stilte vond hij ongemakkelijk. Hij wist ook even niet wat te doen. Hij stond daar, met alleen zijn boxershort met gele zonnetjes en maantjes erop nog aan, ontkleed voor een dame van stand die niets zei, niets deed, en hem alleen maar volledig in zich opnam. Zijn erectie verslapte enigszins onder de druk van het ongemak.

Toen klopte zij één keer met een vlakke hand op de bank naast haar, waarop hij snel besloot te gaan zitten. Zij pakte zijn achterhoofd vast en trok die naar zich toe. Ze zoenden. Eerst langzaam, toen steeds sneller. Hij dacht terug aan de momenten met Mariska. Nooit, echt nooit, was hij zo opgewonden geweest als nu. Deze vrouw, deze middelbare vrouw, maakte iets in hem los dat Mariska, mooie, lieve Mariska, nooit had gekund. Toen hij zijn hand over Charlotte's borst liet glijden, pakte zij subiet zijn pols vast, trok zijn hand weg en stopte met zoenen.

'Niet zomaar ergens aankomen, jongen. Daar hou ik niet van.'

De opmerking was op een gebiedende en geïrriteerde toon uitgesproken, maar was onredelijk. Dat besefte hij meteen. Hij had aan al haar wensen voldaan. Was zonder kleren voor haar gaan staan. Zij was gaan zoenen met hem. Zij. Zij. Zij. En nu hij opgewonden een voorzichtige hand op haar nog altijd met kleding bedekte borst had gelegd, had zij hem dat verboden. Ergens ver weggestopt was er iets in hem dat het onrecht wilde rechtzetten. Er was iets dat haar de onredelijkheid van haar handelen duidelijk wilde maken, maar dat kleine stukje Rolf werd onderdrukt door de almaar aanzwellende opwinding.

'Als je handtastelijk wordt,' ging ze op strenge toon verder, 'dan roep ik Balou erbij en dan zet ie je zo buiten. Wil je dat?'

'Nee.' Rolf hoorde het zichzelf automatisch en nederig zeggen.

'Goed zo.' Charlotte boog voorover, pakte de ontkurkte fles wijn die aan de poot van de salontafel stond en schonk haar glas vol. Rolf keek toe. Ongemakkelijk. Zij speelde met hem. Bewoog de onzichtbare touwtjes die aan zijn polsen zaten. Dat besef had hij. Maar de drang, de lust, drong het naar de achtergrond.

Ergens hoorden ze ineens 'I'm too sexy for my love'. Charlotte stond op, liep naar de kast die tegen de muur rechts van de bank stond en pakte haar mobiel op.

'Met Charlotte,' zei ze koeltjes toen ze het toestel opnam. 'Hoi,' ging ze verder terwijl ze de kamer uitliep. Rolf keek haar na en bleef in vertwijfeling achter. Minuten verstreken. Hij zat daar, in zijn wat koddige boxershort, op de bank bij een tot voor kort wildvreemde vrouw die bellend weg was gelopen. Hij dacht aan Balou, die ergens in het huis rond liep en pardoes binnen zou kunnen komen. Hij dacht aan Charlotte en hoopte dat zij snel terug zou zijn. De gedachte om zich aan te kleden kwam in hem op. Hij keek naar zijn broek, die werkeloos op de grond lag, en naar zijn overhemd even verderop. Nog meer minuten verstreken. Rolf nam zich voor om nog een paar minuten te wachten maar daarna zou hij zich beslist aan gaan kleden.

Zij had al opgehangen toen ze weer binnen kwam lopen. Even keek ze hem aan en hij haar. Hij beet op zijn onderlip. Zij kwam voor hem staan en bekeek hem uitgebreid van onder naar boven. 'Je moet gaan,' zei ze op vlakke toon. 'Morgen moet ik vroeg op. Afspraak om negen uur en die kan ik niet missen. Zakelijk.'

Hij knikte. Zij pakte zijn kleren van de grond en gaf ze aan hem. Zonder verder nog iets te zeggen kleedde hij zich aan. Zij bood hem nog een sigaret aan die hij dankbaar knikkend accepteerde. Hij vroeg zich af of dit het dan was. Of zijn fantasie om ooit eens met een rijpere vrouw te seksen strandde bij een stripshow, wat tongwerk en een verboden hand over haar borst. Hij wilde het haar vragen. Vragen of hij terug mocht komen. Of dit een soort van keuring was geweest en of hij dan goedgekeurd zou zijn. Of niet. En of die afspraak van morgen echt de reden was voor het abrupte einde of dat ze gewoon toch geen zin had om met hem te neuken. Hij wilde het allemaal vragen, maar vroeg niks, en rookte alleen maar. Net als zij.

Samen liepen ze even later naar de voordeur. Charlotte zei koeltjes dat ze het leuk had gevonden. Leuk. Niet spannend, opwindend of geil, maar leuk zoals een bioscoop bezoeken ook leuk is. Of een bezoek aan de dierentuin op een zonnige tweede pinksterdag. Ze kuste hem bij het afscheid op de mond. Dat nog wel. Een kus op de mond als bedankje voor een stripshow. Het leek wat zuinig.

8

Toen hij even na negen uur wakker werd voelde hij vanuit zijn nek hoofdpijn op de loer liggen. Wachtend als een roofdier, om op het juiste moment toe te slaan en zich door zijn hoofd te verspreiden. Enigszins verdoofd strompelde Rolf naar de keukenla en toverde er twee pillen paracetamol uit die hij met een beker water direct achterover sloeg.

Het was de tweede dag dat hij geen enkele verplichting meer had. Hij hoefde nergens te zijn, niemand zat op hem te wachten. Een raar, leeg, besef bekroop hem terwijl hij met zijn hoofd achterover in de bank hing. Na al die jaren vol school- en werkverplichtingen was er nu helemaal niets meer. Hij zou de hele dag in bed kunnen blijven liggen en niemand zou hem missen. En niet alleen vandaag, ook morgen, de rest van de week, en de vele weken daarna zou hij door niemand gemist worden. Er waren geen klanten meer en ook geen collega's. Er was geen werk meer dat lag te wachten op zijn bureau en er was ook geen maandagmorgenvoetbalpraatje meer met Michiel van de eerste of met Ronald van boekhouding. Er was slechts een op het oog eindeloze dag zonder enige vorm van invulling.

De uren die volgden bracht hij door met de laptop op schoot. Eerst zittend op de bank. Toen liggend op de bank. Daarna liggend in bed. Om even later weer zittend op de bank te eindigen. Hij werkte zijn curriculum vitae bij, bezocht vacaturesites, veranderde wat dingen aan zijn profiel, plaatste zijn wensen en reageerde op wat openstaande vacatures.

Steeds weer dwaalden zijn gedachten af naar de avond daarvoor. En dan vooral naar Charlotte. Eerst bekroop hem een licht opgewonden gevoel. Hetzelfde gevoel als een avond eerder, maar dan minder heftig. Daarna bekroop hem een gevoel van boosheid. Boosheid niet zozeer vanwege haar controlerende gedrag, maar meer omdat zij het zo abrupt af had gekapt en hem weg had gestuurd.

Eén ding wist hij in ieder geval zekerder dan ooit: middelbare vrouwen vond hij spannend. Veel spannender dan hij Mariska, of welk ander meisje dat hij daarvoor nog had gehad, ooit had gevonden. Zijn vingers gleden over het toetsenbord. Hij opende Google en typte in: 'oudere vrouwen dating'.

Er dook een vraag op of hij een saai huwelijk had. Daaronder een aantal datingsites. Hij opende er eentje. Er kwamen wat afbeeldingen in beeld van lief lachende jonge meiden. Ergens links stond een zoekbalk. Rolf vulde in wat hij zocht: 'vrouw', 'Noord-Holland', '40+' en drukte op 'zoek'. Een aantal dames kwam in beeld. Rolf opende de eerste; ene Leentje03.

Leentje03 was 58, hield van gezellig samenzijn, was religieus en mocht graag lange wandelingen maken. Rolf haalde zijn wenkbrauwen op en klikte op dame nummer twee: Sap. Sap was 53, rookte, was gezet, hield van domino en haar droomvent zag eruit als Hans Kraaij jnr.

Rolf sloot de site af en googlede verder. Zijn oog viel op een link naar een site die adverteerde met 'gratis seksdating met alle soorten vrouwen uit het hele land!' Rolf dubbelklikte op de link. Nog meer vrouwen in beeld. Dit keer niet lieflijk lachend, maar een geknield meisje met een door sperma bedekt gezicht, met daar vlak voor een door haar vastgehouden lul. Daarnaast een door moeder natuur rijkelijk bedeelde negerin die haar grote borsten vasthield terwijl zij haar rood geverfde lippen wellustig tuitte. Als laatste lag er een blondine gedrapeerd over een tafel heen, terwijl ze met een hitsige blik over haar schouder keek, alwaar ze een enorme leuter achter zich zag, die blijkbaar ieder moment bij haar naar binnen kon dringen.

Weer zocht Rolf naar de zoekfunctie en stelde de gezochte leeftijd in als 40+. Dit keer kwamen er andere profielen naar boven. Oudere vrouwen die soms met nette pasfoto's, maar soms ook met ontblote borsten of zelfs met volledig naakte lichamen in beeld kwamen. Rolf opende het eerste profiel: Saartje-komtklaartje. Ze was blond, 57, halflang haar, enigszins stevig, maar zeker niet dik. Behalve haar tieten, die waren wel dik. Enorm zelfs. Ze hield van 1 op 1 seks. Van rollenspellen. Van hardhandige seks. Van pijpen. Van beffen. Van spelletjes. Van seksspeeltjes. Saartjekomtklaartje was, zo vond Rolf, een ondernemende vrouw.

Daarna opende hij het profiel van Lievelien. 50 Lentes jong. Deze stond in zwarte lingerie op de foto. Had een slank postuur en korte roodgeverfde haren. Het profiel vertelde Rolf dat zij hield van soft sm, van orale seks, van anale seks, van tietneuken, van facesitting, van bondage en van seksspeeltjes. Lievelien voldeed aan de omschrijving van een aantrekkelijke vrouw, volgens de normen van Rolf en hij vroeg zich af of hij werkelijk met deze vrouwen in contact zou kunnen komen.

Rolf ging naar 'aanmelden'. Hij moest invullen welke naam hij wilde hebben en koos voor 'Derk'. Een fakenaam, gebaseerd op zijn achternaam, die hij eerder had gebruikt toen hij lang geleden betrapt werd op zwartrijden door een chagrijnige conducteur. Rolf gaf twee keer zijn emailadres op en een gewenst wachtwoord. In beeld kwam de melding dat hij zijn nieuwe account kon activeren door op de link te drukken die via de zojuist verzonden email binnen was gekomen.

Rolf opende zijn mailbox en klikte op de link. Hij werd welkom geheten door de beheerders en er werd vermeld dat hij nu ook een eigen profiel kon aanmaken. Als hij er niet uitkwam kon hij de 'help' functie gebruiken. Rolf grinnikte. Hij had niet het idee dat je hiervoor gestudeerd moest hebben.

Hij klikte op de button 'profiel aanmaken'. Er kwam een vragenlijst in beeld. Rolf moest invullen in welke plaats hij woonde, of hij een man of een vrouw was, zijn geboortedatum, welke huidskleur hij had, hoe lang hij was, zijn gewicht, kleur van het haar en de ogen, of hij samenwonend was of single, getrouwd, gescheiden of weduwnaar, of hij rookte, of hij dronk, of hij tatoeages had en piercings, hoe lang zijn lid was en of hij daar beneden geschoren was.

Even dacht hij klaar te zijn maar tot zijn grote schrik verscheen er nog een pagina vol vragen in beeld, waarbij hij moest aanvinken wat op hem van toepassing was. Eerst moest hij aangeven waar hij naar op zoek was. Hij klikte op het vakje waar 'vrouw' achter stond. Daarna werd er gevraagd waar hij wilde afspreken. De opties waren: 'bij mij thuis', 'bij jou thuis', 'in een café/restaurant', 'in een hotel', 'in een parenclub', 'op een parkeerplaats.' Rolf vinkte de vakjes aan die stonden bij 'bij mij thuis' en 'bij jou thuis'. Tot slot moest er ingevuld worden waarom hij iemand zocht. Rolf klikte de vakjes aan die stonden bij '1 op 1 seks', orale seks', 'anale seks', 'discrete relatie' en 'seksspeeltjes'. Daarna werd er nog een mogelijkheid geboden om te omschrijven waar hij naar op zoek was. Rolf typte zonder er verder heel erg veel over na te denken:

Hoi, ik ben Derk en ik ben op zoek naar een leuke, vlotte en middelbare dame die houdt van een lekkere jonge vent, om heerlijke ongeremde seks mee te hebben. Ik vind heel veel dingen lekker, alles is bespreekbaar.

Daarna drukte hij op 'profiel opslaan' en sloeg hij de laptop dicht. Toen hij een paar minuten later onder de douche stond, zwierven zijn gedachten weer terug naar de avond ervoor. Naar Charlotte. Dit keer dacht hij niet aan haar omwille van de opwinding, maar hij dacht na over haar motieven. Over wat haar gedreven had. Waarom had zij Rolf gevraagd zich uit te kleden, had ze hem opgewonden, gezoend, gestreeld, om het daarna zo radicaal af te breken? Hij kon niets bedenken. Hooguit dat zij zou kicken op de macht. Op de controle die ze over hem die avond had gehad. Maar waarom had ze het karwei dan niet afgemaakt? Waarom had zij hem niet opgedragen haar tot een hoogtepunt te laten komen? Was ze soms niet geïnteresseerd geweest in hem, althans niet in seks met hem? Maar als dat het was, waarom had ze hem dan laten komen? Waarom had ze hem dan zo gemanipuleerd dat hij zich zonder tegen te sputteren voor haar had uitgekleed? Hoezeer hij er tijdens het douchen ook over nadacht, hij kon haar motieven werkelijk niet doorgronden.

9

Op het moment dat hij zijn mailbox opende zag hij het meteen: zeven nieuwe berichten. Dat vond hij opmerkelijk want zoveel email kreeg hij normaal gesproken nooit. Hij dacht aan de vacatures, wreef hoopvol in zijn handen en opende zijn inbox. Er zat inderdaad één reactie van een vacaturesite bij, de overige berichten waren echter afkomstig van de datingsite. Onmiddellijk bekroop hem een nerveus gevoel. Zou het dan echt zo makkelijk zijn om met middelbare dames in contact te komen? Had hij al die jaren dat hij in staat van opwinding aan oudere dames had gedacht, zich gewoon even moeten aanmelden bij deze datingsite? Hij streek over zijn gezicht en opende de eerste mail. Het was een melding over een bericht dat ene StrengePaula53 hem had gestuurd naar aanleiding van zijn profiel. Rolf drukte op de bijbehorende link en deze stuurde hem direct door naar het bericht.

Hoi Derk, Paula hier. Klinkt goed hoor, dat jij een toyboy wilt zijn. Precies wat ik wil. Speciaal voor jou stuur ik een foto mee, open de bijlage maar. Ik hoor graag van je. XXXX.

Rolf opende de bijlage en zag een stevig gebouwde en in lingerie gehulde vrouw in beeld verschijnen, die haar twee grote borsten tegen elkaar aan drukte. Rolf keek er even naar, sloot de foto daarna af en opende het tweede bericht, afkomstig van ene Ouwehoer.

Hallo Derk. Precies wat ik zoek: een jonge knul met een strak lijf om een paar heerlijke uurtjes mee door te brengen. Mail me.

Ditmaal zat er geen foto bijgevoegd, maar Rolf klikte op het profiel van Ouwehoer en zag er daar één van een vrouw die ergens in de veertig moest zijn - leeftijd stond helaas niet ingevuld. Ze lag geheel naakt voorover met haar hoofd onherkenbaar in een kussen gedrukt. Haar handen trokken haar billen uit elkaar om maar aan te geven dat ze daar erg graag iemand wilde hebben die er iets in kon steken. Rolf glimlachte en ging naar de volgende: AngelaAlkmaar.

Zoek niet verder kanjer! Ik wil jou voor mezelf. Kijk naar de foto en ik weet zeker dat jij mij gaat mailen! XX

Op de foto presenteerde AngelaAlkmaar - 46 jaar oud en groot fan van anale en orale seks, volgens het bijbehorende profiel - zich inderdaad op een dusdanige wijze dat Rolf niet veel meer kon doen dan met een open gekierde mond naar het beeld staren. Angela bleek een prachtig geconserveerde vrouw met lange blonde en lichtkrullende haren die bovendien nog ontzettend strak in haar lichaam zat. Ze had er op de foto voor gekozen om kortgerokt en met een laag openhangende blouse voorover te hangen zodat haar buste een magnetische werking kreeg op de ogen van Rolf. Even zat hij daar. Kijkend naar een volkomen onbekende vrouw die hem een pikante foto van zichzelf had opgestuurd. De wereld van de online seksdating bleek een uiterst merkwaardige.
Mail nummer vier was afkomstig van Xandra.

Hoi lieverd. Ik hoop niet dat ik je afschrik, maar ik stuur je hierbij een foto mee. Check het maar, en als je interesse hebt, hoor ik het graag. Kusjes.

Met een lichte vorm van nieuwsgierigheid opende Rolf de foto. De foto was dusdanig groot dat deze meer dan beeldvullend was. Het gezicht van de dame was alleszins in orde. Blond. Lang haar. Lieve glimlach. Rolf scrolde zich afvragend wat er nou precies zo afschrikwekkend zou kunnen zijn naar beneden, toen hij tussen de benen van de vrouw ineens een forse erectie

42

trots naar voren zag steken. Rolf bekeek het tafereel met een van afschuw verwrongen gezicht en vroeg zich af hoe een meid met een echt damesgezicht toch zo'n knuppel in de broek kon hebben. Hij verwijderde snel het bericht.

Ene Elsbeth had hem aangeschreven. Klaar met relaties en op zoek naar een reguliere sekspartner.

Hallo Derk, Elsbeth hier. Ik zeg het je meteen maar: mannen zijn eikels. Toch ben ik op zoek naar één. De reden waarom is even banaal als dat het eenvoudig is: zijn lijf en zijn lul. Als die twee onderdelen bij jou goed verzorgd zijn, mag je mij zeker mailen. Op het gebied van seks ben ik heel ruimdenkend, dus maak je wensen kenbaar en ik zal er zeker over nadenken.

Laatste bericht kwam van Ans1967. Ans1967 had slechts een korte vraag Rolfs kant op gestuurd:

Derk, ben jij wel eens gepijpt tijdens het autorijden?

Rolf grijnsde en schudde zijn hoofd. Nee, hij was nog nooit gepijpt tijdens het autorijden. Sterker, Rolf had nog nooit ook maar enige vorm van seks beleefd in zijn auto en had ook geen onbedwingbare behoefte om dat ooit te gaan uitproberen. Seks op een bed leek hem aanmerkelijk comfortabeler. Saaier wellicht, burgerlijker zelfs, maar hij prefereerde saai comfort en burgerlijkheid boven avontuurlijk gestuntel op een te krappe achterbank.

Rolf besloot te reageren op de mail van Angela.

Hoi Angela. Wow, wat een heerlijke foto stuurde jij me toe, zeg! Ik heb er echt even uitgebreid naar zitten kijken. Wat een geweldig lichaam heb jij. Ik zou graag met je willen mailen. Kijken of wij naar hetzelfde op zoek zijn en wellicht eens kunnen afspreken in de toekomst. Ik hoop snel van je te horen. Derk.

Daarna stuurde hij een vergelijkbaar bericht naar Ouwehoer. Rolf zocht nog wat gedachteloos verder op de datingsite. Overal waar hij op klikte kwamen dames tevoorschijn met ontblote borsten, met naakte lijven, met showende piercings, met dildo's in konten, met slavenmaskers op en met door sperma bedekte gezichten. Dames van alle leeftijden, haarkleuren, huidskleuren, omvang, opleiding, status, voorkeur en gewicht. Honderden, misschien wel duizenden profielen vol met vrouwen die soms zelfs wanhopig op zoek leken naar seks. Naar vreemdgaan. Naar relaties. Naar eenmalig genomen worden. Naar jonge kerels, oudere kerels, strenge kerels, lieve kerels, onbekende kerels. Rolf ademde diep in, bolde zijn wangen en perste de overtollige hoeveelheid lucht door het spleetje van zijn mond weer naar buiten.

10

Ouwehoer was niet haar echte naam. Maria heette ze. Ze was 45 jaar geleden geboren in het Zeeuwse Vlissingen, maar nog geen vijf jaar later verhuisde ze met haar ouders naar Amsterdam. Papa had daar nieuw werk gevonden. Het pakte echter niet uit zoals gehoopt en een kleine negen jaar later trokken ze alweer terug richting Zeeland, maar de hoofdstad had ze in haar hart gesloten. Zodra ze oud genoeg was, was ze dan ook teruggegaan. Op zoek naar Maikel, met wie ze in de klas had gezeten. Ze vond hem terug en de twee werden verliefd op elkaar. Maria was pas 19 toen ze in het Burgers Ziekenhuis beviel van haar eerste dochter, Anke. Nog geen twee jaar later breidde het gezin zich uit met Sophie. Maikel was vertegenwoordiger in bouwmaterialen, althans, dat was wat hij al die tijd aan Maria had verteld. In werkelijkheid bleek hij er nog een heel handeltje bij te drijven. Handeltje in allerhande poeders, pillen en diverse andere verslavende genotsmiddelen op aanvraag. Toen Maria daar na jaren achterkwam was ze, op zijn zachtst gezegd not amused. Ze was de enige niet. Ook de politie, het openbaar ministerie en de rechter waren niet bijzonder ingenomen met Maikel's beroepskeuze en wierpen hem zonder pardon in een kille cel. Daar mocht hij voorlopig ook even blijven.
Later werden er nog meer mensen teleurgesteld in Maikel. Om zijn verblijf ietwat te beperken had hij namelijk wat informatie doorgespeeld. Namen. Locaties. Dat soort dingen. Toen hij uiteindelijk uit zijn kille cel werd ontslagen werd hij enige tijd later verrast door onverwacht bezoek. Hij liet Maria achter met de zorg voor de twee jonge meiden, en torenhoge schulden die afbetaald moesten worden aan dubieuze kerels die haar het nobele voorstel deden om met ontbloot bovenlijf achter een besla-

gen raam plaats te nemen. Vijftig gulden hier. Honderd gulden daar. Schoot niet echt op zo.

Op een dag stond er een immense neger met een nog immensere erectie voor haar bed. Achter hem stond een camera. Maria nam geknield plaats op de grond. De film werd geen doorslaand succes. De enkele tientallen die zouden volgen ook niet, maar uiteindelijk werd de schuld afbetaald.

Ze had met Rolf afgesproken in het Vondelpark. Dat leek Rolf een prima plek. De eerste ontmoeting op een openbare locatie, tussen het hardlopende, picknickende, luierende, wandelende, spelende en muziekmakende volk dat dagelijks het stadspark aandeed. Eerst even wat praten, of in dit geval beter gezegd: ouwehoeren, wat wandelen, kijken of er een klik zou zijn, en als het allemaal positief zou uitvallen: stap nummer twee.

Maria dacht er echter anders over. Rolf had zijn kont nog maar nauwelijks in het houten bankje gedrukt, of ze werd al handtastelijk. Ze vond hem heet, fluisterde ze in zijn oor terwijl haar hand in zijn kruis gleed. Verschrikt keek Rolf om zich heen, of er iemand was die hen zag, en ja hoor; ze waren gesnapt. Een vent met een baard aan de overkant, die keek zojuist naar hen om. Die vrouw daar, die met grote passen en een woeste blik de kinderwagen voort stuwde, die had hen natuurlijk ook allang gezien. En dan waren er nog die tieners in het gras... waarom zaten zij zo te giechelen?

Rolf duwde haar hand van zijn kruis af en tot zijn verbazing hoorde hij een grom uit haar keel opstijgen.

'Ooh, playing hard to get... je kan me niet heter krijgen,' fluisterde ze hem toe. 'Niet hard to get,' zei Rolf gehaast. 'Het lijkt mij beter om elkaar eerst even wat beter te leren kennen.'

Vond ze nergens voor nodig. Ze hadden toch afgesproken voor seks? Toch niet om uit te pluizen of hij links stemde of rechts. Of veel doneerde aan goede doelen? 'Als ik dat allemaal had willen weten had ik me wel op een ander soort site geregistreerd,' zei ze.

Daar had ze op zich dan ook wel weer een punt, moest Rolf toegeven, maar hier, midden in het Vondelpark? Dat leek hem niks.

'Juist hier,' zei Maria. 'Niets opwindender dan seks op een openbare locatie. Had ik je al verteld dat ik nooit ondergoed draag?'

Rolf beet op zijn onderlip. Dit liep niet goed. Hij overwoog zijn opties. Hij zag er zo snel drie. De eerste optie was overal aan toegeven en met zijn kont in de brandnetels die vrouw een beurt geven terwijl zijn rug over de takken zou schuren. De tweede optie was aangeven dat hij wel wilde neuken, maar dan bij haar thuis. Of in een hotel of zoiets. Dat was dan in ieder geval een stuk discreter dan dit. Optie nummer drie was als de sodemieter wegrennen hier. Hij keek even goed naar haar en concludeerde dat de onderbroekloze Maria hem never nooit bij zou kunnen houden.

Maria greep zichzelf bij haar borst en begon deze opgewonden te masseren terwijl ze aan de wijsvinger van haar andere hand begon te sabbelen. Ze kreunde. Eerst zachtjes. Toen wat luider.

Een halve minuut later stak Rolf rennend de Stadhouderskade over in de richting van het Leidseplein. Iemand toeterde. Leidsestraat, Koningsplein. Rolf rende en rende. Singel, Spui. Doorrennen, alsmaar doorrennen. Hij begon zwaar te ademen. Kalverstraat. Hier, tussen de winkelende mensenmassa, nam zijn snelheid af. Verder en verder ging hij, totdat hij stapvoets en met rood aangelopen hoofd stilhield. Hij sjokte de hoek om, de Watersteeg in, drukte zijn kont tegen de muur aan, liet zijn handen op zijn dijen rusten en leunde enige minuten lang, hijgend als een astmatische pakezel, voorover gebogen. Hij rochelde een aantal keer op de grond. Toen kwam hij omhoog. Hij rook pis. En ook wiet. Maar toch vooral pis. Hij keek om zich heen. Geen Maria. Geen Ouwehoer. Hij zuchtte en streek met zijn arm over zijn voorhoofd.

11

Rolf werd die morgen wakker door het getril van zijn mobiel; een sms-bericht. Hij wreef de nodige slaap uit zijn ogen en pakte zijn telefoon. Nadat hij de toetsenbordblokkade uit had gezet, lichtte het beeldscherm op en kwam er een gesloten envelop in beeld met daaronder de tekst: 'bericht van Lot.'
Meteen zat Rolf rechtop in zijn bed. Hij sloeg een hand voor zijn mond en staarde enkele seconden naar de display. Lot. Charlotte. Hij opende trillend het bericht.

Morgenavond tijd voor mij? 21:00, hotel Ingooi, Laren.

Rolf staarde naar het beeldscherm. Waarom wilde ze hem nu weer zien? En waarom ergens in een hotel? Hij vroeg het zich nog steeds af toen hij even later, gekleed in slechts een boxershort, in de keuken stond om koffie te zetten. Ze had hem die eerste avond zo abrupt de deur gewezen dat hij had besloten dat hij haar niet was bevallen. Hij had vermoedelijk iets verkeerds gedaan. Verkeerds gezegd. Misschien was het de vluchtige aanraking van haar borst geweest die het definitieve, en negatieve, oordeel had geveld, zo dacht hij. Maar nu, enkele dagen later, nodigde zij hem uit om naar een hotel te gaan. Een hotel! Waarom zou een vrouw een man 's avonds in een hotel uitnodigen anders dan vanwege het op touw zetten van een wilde vrijpartij? Het sms-je, zo besloot Rolf, kon bijna niet anders worden opgevat dan als een regelrechte uitnodiging voor seks. Bijna.
Maar bijna was nu even niet genoeg; Rolf wilde zekerheid. En anders dan de vorige keer nadat zij hem een sms-bericht als uitnodiging had gestuurd, wilde hij dit keer van haar weten

waarom zij hem wilde zien. Rolf liep terug naar zijn slaapkamer, pakte de mobiel vast en drukte op 'beantwoorden'.

Waarom?

Hij liep terug naar de keuken, schonk de koffie in, pakte de
laptop en plofte neer op de bank. Mail checken. Weer vier
nieuwe berichten. Het eerste bericht kwam van een recruiter die
meldde dat hij een paar vacatures had die aansloten op Rolfs cv.
De recruiter vroeg of Rolf geïnteresseerd was in een intakege-
sprek met hem. Dat was Rolf niet echt, zijn gedachten waren
elders, maar hij was vast van plan om er toch maar op in te
gaan. Zijn aandacht viel echter op een bericht van de datingsite
die aangaf dat AngelaAlkmaar een reactie terug had gestuurd.
Rolf klikte snel op de link en kwam enkele seconden later uit bij
het bericht.

Hoi Derk,

Leuk dat jij mijn foto zo mooi vond! Kan je er eentje van jou
terug sturen? Ik ben wel benieuwd met wie ik hier nu eigenlijk
zit te mailen. Waar ik naar op zoek ben is eigenlijk vrij simpel:
een leuke jonge vent! Kerels van mijn eigen leeftijd hebben
vaak kale hoofden, bierbuiken en behaarde lichamen. Ik ben
gek op jonge kerels met strakke lichamen met niet al te veel
beharing en hoop dat jij dat hebt. Waar ik van hou is eigenlijk
heel simpel: seks! Oraal. Vaginaal. Anaal. Seks! Heerlijk. Seks
met een jonge gozer, zonder verdere verplichtingen. Geen relatie. Geen moeilijk gedoe. Gewoon een kerel die ik af en toe kan
bellen en mee kan seksen. Ik kan ontvangen, en woon, zoals je
waarschijnlijk al zult vermoeden, in Alkmaar. Dat is hopelijk
niet te ver weg van jou. Als dat wel zo is, kan ik ook best naar
jou toekomen. Ik heb een auto, en vind het niet erg om een ritje
te maken. Zolang jij dat ritje maar waard bent!

Xx Angela.
P.s.: ik heb een nog iets ondeugendere foto bijgevoegd. Hope-

lijk vind je die ook mooi!
P.s. 2: Heet je echt Derk?

Rolf opende koortsig de foto. Angela lag languit op een bank. Haar benen opgetrokken en over elkaar geslagen, haar borsten ontbloot en rustend op haar ribbenkast. Ze waren precies zoals Rolf het graag zag: niet te klein, stevig, roomblank en met een flinke tepel in het hart van een middelgroot tepelhof. Hij vroeg zich af of zij die foto al langer had liggen of dat zij die, terwijl zij misschien wel opgewonden had liggen fantaseren over hoe hij eruit zou zien, gisteravond nog had genomen. Hij hoopte dat het de laatste optie was. Dat zij deze erotische foto speciaal voor hem had genomen. Met Rolf, of eigenlijk Derk, prominent in haar gedachten aanwezig. Hij drukte op zijn rechtermuisknop en sloeg de foto op in een nieuwe map die hij 'Angela' noemde. Ook de foto die hij eerder van haar had ontvangen sloeg hij daarin op. Daarna ging hij naar de hotmail pagina en vroeg een nieuw mailadres aan. Toen begon hij te typen.

Lieve Angela,

Ik viel stil van jouw foto. Wat een borsten. Wat een vrouw ben jij! Echt heel erg mooi. Blij om te horen dat jij op zoek bent naar een jonge vent en ook alleen naar sekscontact. Dat is namelijk wat ik ook wil. Alleen maar seks. Geen relatie ofzo. Het is geen enkel probleem om naar Alkmaar te komen, want ik woon in Amsterdam en heb gewoon een auto. Enige probleem is dat mijn credits op deze site bijna op zijn. Ik kan je alleen dit bericht nog toezenden. Daarna heb ik nog maar vijf credits over, maar dat is niet genoeg voor een bericht. Ik hoop dan ook dat jij me wilt mailen op dit mailadres: derkrolfs@hotmail.com. Het adres heb ik zojuist aangemaakt, speciaal voor mails van jou. Hopelijk ga je me daarop mailen, zodat we inderdaad snel eens kunnen afspreken.

Hoop van je te horen.
Liefs, Rolf (want mijn echte naam is idd niet Derk ;-))

Rolf voegde een foto bij. Geen bijzondere foto. Geen speciaal genomen foto, maar een foto van vorige zomer, toen hij door vrienden gekiekt werd op het strand, met ontbloot bovenlijf en in zijn ene hand een pilsje en in de andere een sigaret. Even had hij overwogen om een uitdagende pose aan te nemen en een foto te schieten, maar dat vond hij voor een man onnatuurlijk. Vrouwen horen dat te doen, vrouwen verleiden met hun lichaam. Mannen niet. Hij had zelfs even gedacht om een foto van zijn lid te nemen en deze toe te sturen. Maar die gedachte elimineerde hij vrijwel direct weer uit zijn hoofd. Niets suffer dan een blote lul als eerste foto.

Daarna beantwoordde hij de email van de recruiter. In een korte mail gaf hij aan graag een keertje langs te komen voor een intake en vroeg of de recruiter een paar data kon voorstellen wanneer het hem zou schikken. Toen hij daarmee klaar was, bekeek hij de twee overige berichten. De eerste was van de vacaturesite zelf, waarin een aantal vacatures waren meegezonden die voldeden aan de steekwoorden die Rolf bij zijn inschrijving had opgegeven. Hij scrolde er snel en zonder veel interesse doorheen.

Het laatste bericht was van snelseksxx. Een dame van ergens in de vijftig die vooral veel zin had om zich door een kerel te laten vastbinden en meer dan 100 kilo woog.

Hou je van dikke vrouwen en bondage? Dan mag je me mailen. Kusjes.

Daar hield hij niet van. Rolf gooide het bericht direct in de digitale prullenbak. Daarna stond hij op, liep naar de keuken, schonk nog een bak koffie in en zette het koffieapparaat uit. Terwijl hij een eerste, en veel te hete, slok nam, pakte hij zijn telefoon op. Er was een nieuw bericht. Van Charlotte. Een kort bericht dit keer. Slechts één woord.

Neuken.

Dus toch! Rolf had dus niet veel mis gedaan, tijdens die eerste avond. Ze was nog steeds geïnteresseerd in hem. Zoveel interesse zelfs, dat ze in een hotel met hem af wilde spreken om seks te hebben. Rolf wist dat hij op het aanbod in zou gaan. Daar was geen twijfel over.

Kzal er zijn.

De gestuurde bevestiging was zinloos. Zij wist natuurlijk op het moment dat zij haar sms had gestuurd, dat hij zou komen. Zoals hij tot dan toe alles had gedaan wat zij van hem had gevraagd.

12

Elsbeth was 39 jaar oud. Lang, zwart haar hing gotisch tot ver over haar schouders. Haar oren werden versierd door enorme ringen, die de indruk wekten dat er ieder moment een gezin papegaaien op neer kon strijken. Ze droeg donkere kleding, en haar gezicht was met zorg, maar ook met overdaad, beschilderd met een bonte verzameling aan donker getinte kleuren. Haar flink beringde vingers eindigden in zwart gelakte nagels.

Ze had nooit langer dan een half jaar een relatie gehad. Dat lag aan haar. Het vaste gezelschap van een man, en bij tijd en wijle ook van een vrouw, was eigenlijk niks voor haar. Ze vond het leuk, voor even, maar dan ging het irriteren. Als een soort van allergie kwam het ongenoegen dan opzetten. Ging ze zich aan hem storen, omdat hij meende invloed op haar uit te kunnen oefenen. Of omdat hij vond dat hij ook 'wat te zeggen had'. Zij vond van niet. Zij vond: het was háár leven en zij wilde bepalen wat er in gebeurde, zonder de ballast van zo'n opdringerige vent om haar heen.

'Opzouten met relaties,' zei ze weerbarstig. 'Niets voor mij.'

Seks was wél wat voor haar. En dat was dan ook meteen het enige minpunt; zonder vent, of zonder vrouw, was er geen seks. Of althans: niet meer dan een beetje kutten en kloten met een trillend stuk plastic met bobbels en aardbeiensmaak. Niet echt haar kopje thee.

Soms nam ze wel eens een kerel mee naar huis. Was niet zo moeilijk, vond ze. Bij het gemiddelde concert van Within Temptation of The Gathering was het doorgaans niet heel lastig om op een bierdrinkende headbanger af te stappen en vragend in zijn oor te fluisteren of hij na afloop geïnteresseerd was in een neukpartij van welgetimed een uur. Daarna moest ie opkrassen. Ontbijt en logies niet inbegrepen.

Maar met dat gedoe was Elsbeth wel een beetje klaar. De meeste kerels waren na zo'n concert dronken en bezweet. Ze boerden, stonken of kregen hem niet omhoog. Afgelopen keer, enige weken terug na een optreden van Epica, had ze een kerel genaamd Harm meegenomen. Harm kon in de taxi terug niet van haar afblijven. En toen ze in de lift van haar flat stonden, duwde hij haar ruw tegen de muur, frommelde zijn naar bier stinkende lap in haar mond, en greep haar hardhandig bij haar tieten. Op zich was dat het probleem niet, Elsbeth had zichzelf die avond immers ook behoorlijk vol gegoten met allerhande drankjes, maar in haar woning aangekomen lag Harm binnen enkele minuten hartstochtelijk snurkend en uitgeteld op haar bank. Niet meer wakker te krijgen. Aan zijn voeten trok zij hem uiteindelijk terug de galerij op, schoof hem terug de lift in, en liet hem daar achter. Toen ze wegliep, en de liftdeuren achter zich hoorde dichtschuiven, meende ze het gorgelende geluid te horen van iemand die overgaf. Daarmee was het hoofdstuk concertgangers definitief gesloten. Volgende optie: online seksdating.

Zo kwam het dat Rolf zich in de lift afvroeg of hij niet precies op de plek stond waar nog niet zolang geleden een headbanger genaamd Harm na een optreden van Epica had liggen kotsen.

Elsbeth's flat was klein, maar vooral heel donker. Overal waar Rolf keek zag het zwart voor zijn ogen. Hij waande zich een figurant in een levensgrote driedimensionale rouwkaart. Het bankstel was zwart. De meubels waren zwart. De deuren waren zwart. Alles zwart, of op zijn minst donkergrijs. Ze gooide hem een blikje bier toe en nam er zelf ook één. Of hij een sigaar wilde. Dat wilde hij niet. Zij wel.

Hij zat links op de bank. Zij rechts. Bier in haar ene hand. Sigaar tussen de vingers van de andere. Blauwe rook walmend om hen heen tegen de achtergrond van een zwart geschilderde omgeving. Uit de aftandse speakers klonk brute heavy metal. Snerpende gitaren en keeldiepe gruntklanken die met ongetwijfeld door poliepen aangetaste stembanden grimmig de kamer in galmden.

Ze vroeg van welke muziek hij hield. Hij mompelde iets over

Hazes en Jackson. Top 40 muziek. Daar walgde ze van. Commerciële rotzooi, noemde ze het. Gemaakt voor miljoenen, gemaakt voor de verkoop, door bands die fungeerden als marketingbureau's en zonder de puurheid en zuiverheid die bij muziek zou horen. Ze fulmineerde nog even door over duivelse radiostations als 538 en 3FM die louter platen draaiden op het dwingende verzoek van door geld gedomineerde platenmaatschappijen. Walgelijk was het, incestueus en doortrapt. Zoals bijna alles in de wereld. Politiek. Media. Televisie. Film. Justitie zelfs. Alles werd ons door de strot geduwd en dwong ons allen om anoniem op te gaan in de massa. Eén gigantische sekte was het, die hele verrotte wereld. Een sekte die met het kapitalisme als wapen eigen meningen en persoonlijkheden met al dan niet verbaal geweld en opgelegde regels hardhandig de kop indrukte.

Al die tijd zat Rolf enigszins angstig op de linkerhoek van de bank, met zijn blikje bier wat lullig in de handen. Net als bij Maria overwoog hij zijn opties. De eerste optie was de makkelijkste; meegaan in wat Elsbeth wilde. Was dat seks, dan zou hij zich aan haar overgeven, wilde ze dat niet, dan zou hij zijn zegeningen tellen, haar bedanken voor het bier en snel vertrekken voor ze van gedachten zou veranderen. Optie twee was aanlokkelijker; de grote verdwijntruc. Wachten tot het bier zijn werk had gedaan en Elsbeth het toilet moest bezoeken.

Niet heel veel later sloop hij zachtjes, op het puntje van zijn tenen, langs de wc, deed tergend voorzichtig de godzijdank-niet-piepende-voordeur open en verdween met grote passen in de richting van de lift. Online seksdaten was zo eenvoudig nog niet, besloot Rolf tot zijn spijt.

13

Vanaf de parkeerplaats, staand naast zijn oude Golf, keek Rolf
naar Hotel Ingooi. Het was een groot, vierkant gebouw. Wit.
Zes verdiepingen. Boven de entree in het midden van de begane
grond, zat een grote, uitstekende koepel waarop de naam van
het hotel in neonletters stond geschreven. Rolf stak een sigaret
op en ging met zijn kont op de motorkap van de auto zitten. Er
stonden ongeveer dertig wagens op de parkeerplaats. Op een
oude Suzuki Swift na, was zijn Golf zeker de oudste wagen van
het hele spul. Het leek op een showroom van dure, veelal Duit-
se, automerken. Glanzend gepoetste Mercedessen, BMW's en
Audi's sierden de parkeerplaats, hier en daar afgewisseld met
een opvallende Lexus, een Toyota stationwagen en twee Mini
Coopers. Eentje geel. Eentje lichtblauw.
Met de punt van zijn wijsvinger schoot Rolf met een achteloos
gebaar zijn bijna opgerookte sigaret van zijn duim af, stond op
en liep in de richting van de entree. Hij kuchte even nerveus in
zijn linkervuist toen de dubbele schuifdeuren open gingen en hij
de lobby binnenstapte.
Strak. Modern. De twee woorden die direct in hem opkwamen
toen hij rondkeek. Het hotel maakte een stijlvolle en luxueuze
indruk, zonder dat er veel gebruik werd gemaakt van tierelan-
tijntjes en versiersels. De dame achter de grote, ronde balie
lachte vriendelijk naar Rolf toen hij haar richting op keek. Hij
glimlachte terug terwijl hij op haar af liep.
'Goedenavond,' zei het meisje.
'Goedenavond,' antwoordde Rolf.
'Waar kan ik u mee van dienst zijn?'
Rolf krabde enigszins nerveus aan zijn rechteroog terwijl hij
zich afvroeg wat hij nou eigenlijk moest antwoorden. Een ka-

mernummer had Charlotte niet opgegeven. Haar achternaam wist hij nog steeds niet. Hij zou haar kunnen bellen, nu, met zijn mobiel, om te vragen naar het kamernummer, maar om hier aan de balie te gaan bellen, terwijl hij in gesprek was met het baliemeisje, kwam weer een beetje raar over. En Rolf wilde niet dat het meisje zou gaan denken dat hij één of andere schimmige seksdate had met één of ander hoererend vrouwtje dat hij had opgepikt via één of andere dubieuze website of sekslijn.

'Charlotte…,' stamelde Rolf uiteindelijk met een vragende klank tegen het baliemeisje.

'Je hebt een afspraak met Charlotte?' Ze keek ondertussen op het beeldscherm dat voor haar stond. 'Ze zei al dat er bezoek voor haar zou komen.'

'Je kent haar?' vroeg Rolf verbaasd, zich opeens afvragend of Charlotte wel vaker hotelkamers afhuurde om zich door jonge kerels te laten berijden.

Het baliemeisje glimlachte geruststellend.

'Natuurlijk ken ik haar; ze is de eigenaresse.'

'Van dit hotel?' klonk het enigszins onnozel uit Rolfs mond.

'Van dit hotel,' bevestigde het baliemeisje. 'Ik zal haar even laten komen. U kunt daar plaatsnemen.'

Ze gebaarde met haar arm in de richting van de banken die aan de overkant van de balie in de lobby stonden. Rolf knikte bedankend in haar richting en nam voorover zittend en met zijn handen gevouwen plaats op één van de witlederen banken. Hij keek in de richting van een glazen wand, met uitzicht op een bosrijke omgeving. Verderop, zittend op een bankje buiten, meende Rolf Balou te herkennen. Rokend. Rolf perste zijn ogen samen om een scherper beeld te krijgen. Het was hem. Dat moest wel. Net toen hij op wilde staan om naar het glas te lopen, hoorde hij zijn naam.

'Rolf!'

Hij draaide zich om en zag Charlotte staan. Leren broek. Hoge hakken. Strak, zwart truitje. Rood gelakte nagels. Haar geblondeerde haar dit keer niet stekelig, maar in een soort van Elvis-kuif met heel veel lak achterover gekamd. Tussen de blonde lokken zat nog een zonnebril gedrukt.

'Hi,' zei hij terug.

'Kon je 't vinden?'

Rolf knikte. 'Was niet moeilijk. Je had niet gezegd dat dit hotel van jou was.'

'Je vroeg er niet naar. Kom, loop nou maar mee.'

Hij volgde haar richting de lift. Een gelakte nagel drukte op zes. Hij stond schuin achter Charlotte en nam haar in zich op. De overdaad aan natuurlijke elegantie viel hem ogenblikkelijk weer op. Zoals de eerste keer dat hij haar had gezien, toen zij in de deuropening stond bij Darla thuis. Even sloot hij zijn ogen. Overdenkend of het wel goed was wat hij deed. Waarschijnlijk niet, maar het spanningsniveau was dusdanig hoog dat de verslavende werking ervan hem geen andere mogelijkheid bood dan haar gedwee te volgen.

Op de hoogste verdieping stapten ze gezamenlijk uit. Zwijgend volgde hij haar door slingerende gangen, totdat ze uiteindelijk stil hield bij kamernummer 618. Terwijl zij een pasje in het elektronische slot liet glijden, zei ze zonder om te kijken: 'Dit is mijn favoriete kamer. Eigenlijk is het mijn eigen kamer. Deze wordt alleen bij hoge uitzondering wel eens verhuurd.'

Rolf begreep waarom het haar favoriete kamer was, zonder de andere kamers ooit te hebben gezien. Net als de lobby was ook deze kamer modern en strak. Er was ruimte, veel ruimte. Een kingsize bed, uiteraard. Maar ook een luxueuze zithoek met een fors LCD scherm aan de muur, compleet met een hoogwaardige geluidsinstallatie. Twee openslaande deuren leidden naar een royaal terras waar vanaf je een prachtig uitzicht had over het aanpalende bos en als je naar rechts keek zag je een indrukwekkende villawijk in de verte verdwijnen. De badkamer was voorzien van een enorm bad dat Rolfs hele huiskamer nog krap deed lijken.

Charlotte keek met bijna moederlijke trots toe hoe Rolf haar mooiste hotelkamer in zich opnam.

'Vind je 't wat?' vroeg ze toen.

Hij knikte. 'Mooi hoor. Is vrij duur zeker, een overnachting hier?'

'Laten we het niet over geld hebben. Drinken?'

58

'Wat heb je?'

'Wat wil je? Ik heb alles. En wat ik niet heb laat ik komen. Champie doen?'

'Prima.'

Charlotte liep weg om niet veel later terug te komen met twee goed gevulde glazen met bubbels.

'Waarom liet je me hier komen?'

'Dat heb ik je toch ge-sms-t?'

'Nou, daarin stond wát we zouden gaan doen, maar er stond niet in waarom we dat hier gingen doen. In deze hotelkamer, bedoel ik.'

Ze haalde haar schouders op. Vroeg of het hem dan zoveel uitmaakte waar ze het zouden doen.

'Op zich niet, maar het maakt me nieuwsgierig.'

'Ik heb er niet echt een reden voor. Ik vind het gewoon altijd wel wat kinky's hebben; afspreken om te gaan seksen in een hotel. Geeft toch net even een andere lading aan het geheel dan in je eigen burgerlijke slaapkamer.'

Rolf nam een slok van zijn champagne en grabbelde wat in zijn broekzak op zoek naar zijn sigaretten.

'Mag je roken op deze kamer?'

Ze glimlachte. 'Alles mag op deze kamer. Het is míjn hotel, weet je nog.'

'Weet ik. Weet ik. Maar ja, met die regelgeving in Nederland, over dat roken in de horeca en zo… daarom vroeg ik me dat af.'

'Je mag hier roken. Maar alleen als je er mij ook eentje geeft.'

Hij gaf haar er ook één. Hij voelde zich meer op zijn gemak dan de vorige keer, bij haar thuis. Misschien kwam dat omdat hij nu wist wat ze gingen doen. Dit keer geen freaky stripsessies en hypergeïrriteerde reacties als hij haar borst aan zou raken, maar gewoon, degelijke en van tevoren aangekondigde seks. Die duidelijkheid bracht hem een bepaalde rust, een bepaald gemak. Hij wist immers wat hij kon verwachten en zijn hoofd, zijn geest, nam daar klaarblijkelijk zoveel genoegen mee dat hij nu bijna volkomen op zijn gemak wachtte op wat, volgens haar ge-sms-te belofte, zeker zou gaan gebeuren.

De avond verliep ook aanmerkelijk meer ontspannen dan de

vorige. Zij liet de geluidsinstallatie horen en deed met dezelfde afstandsbediening wat kunstjes met de verlichting. Ze keuvelden met champagneglazen in hun handen op het terras. Ze lachte uitbundig om zijn verhaal over die keer dat hij was wezen stappen na afloop van een familiereünie met wat neven, een enkele nicht en twee ooms, waarvan die ene, ome Jan, zoveel gezopen had dat hij op de Wallen aanbeland, door zijn neven, met man en macht ontzet moest worden uit de peeskamer van een roodharige Rubensdame, die hem uiteindelijk haar gelaarsde rechtervoet in zijn kruis liet voelen.

Vanaf het terras dwarrelden zij weer naar binnen, nog altijd keuvelend over heel veel, maar eigenlijk over niks in het bijzonder, en eindigden ze, beiden ontkleed en met een opnieuw gevuld champagneglas in de hand, in het inmiddels gevulde en bubbelende bad.

Ze zaten tegen elkaar aan. Hij had zijn beiden armen gestrekt over de rand van het bad gelegd en zij had haar hoofd, via zijn armen in de richting van zijn oksel laten glijden en zo was zij, met haar hoofd schuin tegen zijn hoofd aangedrukt, blijven zitten. Dit keer zeiden zij niets. Minutenlang. Het was geen pijnlijke stilte. Het was eerder een voorbereidende stilte. Hij wist het nu, en zij wist het ongetwijfeld ook, dat dit de laatste momenten waren, voordat zij zouden gaan seksen. Lionel Richie zei 'hello' op de achtergrond. De spots die in cirkelvorm boven het bad hingen duwden subtiel hun gedimde stralen naar beneden.

Zij draaide haar hoofd verder zijn kant op. Daarna draaide hij het zijne ook. Ze kusten. Eerst kort. Op de lippen. Daarna iets langer. Op de lippen. Toen opende zij haar mond en vouwde haar lippen om de zijne. Daarna schoof zij haar tong bij hem naar binnen en terwijl zij dat deed, klom zij met haar lichaam op dat van hem, pakte zijn beide wangen met open handen vast en ze kusten. Niet even. Maar lang. Heel lang. Toen trok zij zich langzaam terug. Hij keek naar haar terwijl zij nog altijd op hem zat. Haar borsten hingen voor het grootste deel boven water, maar haar tepels werden bedekt door de bovenlaag van het schuim. Zij keken elkaar in de ogen. Zij zocht zijn handen, vond ze, en vouwde ze om haar borsten heen. Hij voelde ze, dit keer wel, en sloot zijn ogen terwijl hij met zijn handen haar boezem verkende zoals een blindeman een gezicht betast om te weten hoe het eruit ziet.

Ze hield woord: ze zouden neuken. Drie keer zelfs. Ze neukten in het bad. Ze neukten in het bed. En ze neukten terwijl zij voorover hing tegen de spiegelwand. Tijdens alle vleselijke lusten zwierven zijn gedachten ergens tussen het heden en alle eerdere vrijpartijen die hij had beleefd. Vrijpartijen met meisjes, niet met vrouwen. Meisjes die onzeker tastend in zijn lid hadden geknepen. Die er rommelig aan hadden gesjord alsof het een brandslanghaspel betrof, die razendsnel uitgerold moest worden om de vlammen te bestrijden. Meiden die hem dan wel in de mond hadden genomen, maar alleen, zo had hij vaak het idee gekregen, omdat zij wel eens hadden gehoord dat jongens dat lekker vonden. Een verplichting, voor een halve minuut even snel de piemel in de mond, drie keer zuigen, twee keer met de tong eroverheen en dan zeggen dat hij haar maar moest gaan neuken. Nooit, echt nooit, had hij iemand getroffen die hem het idee had gegeven dat ze deed wat ze deed omdat ze zélf nicts liever wilde. Tot nu. Tot de eerste vrouw die hij had getroffen. En die vrouw, die al heel lang geen meisje meer was geweest, die had hem voor zijn gevoel bijna opnieuw ontmaagd.

De volgende morgen werd hij wakker in het kingsize bed zonder dat zij naast hem lag. Hij woelde wat onder de dekens, krabbelde even door zijn warrige haar en ging overeind zitten. Rolf frommelde in de zak van zijn spijkerbroek die naast het bed lag en haalde zijn telefoon eruit. Het was even voorbij half elf. Hij liet zich weer achterover vallen op het bed toen er op de deur werd geklopt en een damesstem 'roomservice!' riep.

Net toen Rolf wilde reageren hoorde hij ineens Charlotte uit de badkamer komen en terugroepen: 'Ik kom er aahaan!'

Even later gleed zij naast hem terug in bed. Tussen hen in stond een groot dienblad met koffie, broodjes, croissants, eitjes, diverse soorten beleg en twee glazen melk.

'Heb ik laten komen. Ik dacht dat je ook wel wat zou lusten.'

Rolf knikte en zei dat het er allemaal heel lekker uit zag.

Terwijl zij samen aten vroeg zij of hij inmiddels zijn loon had ontvangen. Hij schudde zijn hoofd.

'Trek je het financieel nog wel?' vroeg ze door.

'Nog wel,' mompelde hij met een mond vol croissant, 'maar heel lang moet dit niet meer duren.'

Zij dook met haar hand ineens in haar boezem, haalde er vijf briefjes van 50 euro uit en legde deze neer op het dienblad. 'Voor jou. Kan je weer even voort.'

Hij keek haar aan. Geld. Altijd een ongemakkelijk onderwerp. Zeker tussen twee personen van wie de ene het in overvloed had en de ander vrijwel niks. Hij keek naar de briefjes. Toen weer naar haar. Zij keek heel ergens anders heen en leek met haar gedachten allang niet meer bij het geld.

'Ga je nog wat leuks doen,' vroeg zij, 'dit weekend?'

Hij staarde naar het geld en dacht aan de seks van een paar uur eerder. Zijn mond was nu leeg. Hij kon het goed gebruiken, dat wist hij, maar het was zijn geld niet. Ergens in hem was er nog een vleugje trots dat fier overeind bleef staan. Een vleugje trots dat overleefd had, ondanks het faillissement, ondanks het gebrek aan geld, ondanks de aanmaningen op de deurmat, zelfs ondanks de stripact van toen. Een vleugje trots dat iedere aanslag op zijn leven moedig had weerstaan en het was juist dat weerbarstige stukje trots dat zei: 'Hou je geld maar, Lot. Dat is van jou, niet van mij.'

'Neem het nou maar aan. We hebben allemaal wel eens wat hulp nodig gehad. Het is belangrijk om te weten wanneer je hulp moet aannemen en wanneer niet. Dit, lieve Rolf, is hulp die je gewoon móet aannemen.'

'Het is mijn geld niet, Lot.'

'Ik heb het je gegeven, dus is het jouw geld wel.'

'Ik heb het niet nodig.'

'Dat heb je wel. Ik ben degene die het niet nodig heeft.'

Rolf zuchtte. Charlotte pakte met haar linkerhand zijn kin vast, draaide zijn hoofd haar kant op en zei: 'Het is jouw geld. Je hebt er genoeg voor gedaan.' Daarna gaf ze hem een knipoog en liet ze hem los. Hij zou het geld meenemen bij zijn vertrek.

14

Of hij die middag kon. Liefst rond half drie. De recruiter vroeg het in dezelfde email waarin hij zijn adresgegevens doorgaf. Rolf zuchtte. Zijn hoofd stond totaal niet naar saaie gesprekken over zijn doorlopen schoolperiode, zijn werkervaring, en waar hij met zijn leven nou eigenlijk naartoe wilde. Uit een soort van verplichting, omdat hij nou eenmaal vond dat werkelozen moesten solliciteren, beantwoordde hij hem door te zeggen dat hij die middag om half drie op het afgesproken adres zou zijn. Hij printte de adresgegevens uit en verplaatste vervolgens de mail naar de map 'verwijderde items'.

Er was nog een mail. Van angelaalkmaar@hotmail.nl. Rolf streek over zijn droge lippen en opende de mail.

Hoi kanjer. Ben ik dan. Via hotmail dit keer. Ook maar speciaal een adresje aangemaakt. Ik heb nog wel getwijfeld of ik dit wel moest doen, rechtstreeks mailen bedoel ik dus. Er zijn zoveel gekken in de wereld en hotmail is geloof ik simpeler te kraken dan een pindanootje. Toch maar wel gedaan. Je stuurde ook een foto en zo, dus ik heb er wel een goed gevoel over.

Nou ja, ik zal maar iets meer over mezelf vertellen. Ik heet in het echt in ieder geval wel Angela. Ik werk als Human Resource Manager bij een levensmiddelenfabrikant. Geen kinderen, wel een ex-man. Jort. Was ik bijna veertien jaar mee getrouwd, toen vond hij mij blijkbaar te oud en betrapte ik hem met een stagiaire in ons bed. Half jaartje later waren we gescheiden. Dat is nu vijf jaar terug. Sindsdien wel wat dates gehad, maar daar kwam allemaal niks van. Paar leuke etentjes, wat zoenen, soms seks, dan hield het alweer op. Nu zoek ik geen relatie meer. Alleen nog maar een vaste, jonge god om mee te seksen. Da's alles.

Daarom ben ik uiteindelijk maar voor het internetdating gegaan. Dat is tegenwoordig toch de makkelijkste manier. En toen zag ik jouw profiel. En jij? Vertel jij eens wat over Rolf.

XX Ang.

Rolf drukte op 'beantwoorden' en staarde even voor zich uit. Denkend aan wat hij nou precies wilde met Angela. Wat was haar plaats in het geheel? Hij had nu, zo veronderstelde hij, toch iets met Charlotte, dus waarom zou hij het dan ook nog eens aanleggen met deze wildvreemde Angela? Het was hooguit een soort van amusement, van tijdverdrijf, een remedie tegen de verveling van een werkeloze, dat hele internetseksdating. Maar nu zij, AngelaAlkmaar, aan zijn verzoek had voldaan en hem inderdaad rechtstreeks had gemaild, kon hij het gesprek niet ineens afkappen. Ook al had hij verder nog geen idee wat Angela's plaats in het geheel zou zijn: haar mail moest hij beantwoorden. En dus ging hij tikken.

Hoi Angela!

Blij dat je toch besloten hebt om te mailen! Iets over mezelf vertellen... tja, altijd lastig. Ik heet dus geen Derk maar Rolf. Ik ben sinds kort werkeloos. Jarenlang werkte ik bij een installateur in Amsterdam, maar we zijn recent over de kop gegaan. Iedereen op straat. Ik heb een tijdlang een vriendin gehad en die heette Mariska. Lief, leuk kind, echt heel leuk, maar ik miste de spanning. Daarom heb ik het uiteindelijk denk ik ook uitgemaakt. Ik ben nog jong maar had een totaal uitgebluste en spanningsloze relatie alsof we al dik in de vijftig waren of zo. Nou ja, en toen had ik dus ook ineens een heleboel vrije tijd over vanwege het faillissement en heb ik wat gegoogeld en zat ik voor ik het wist op zo'n seksdatingsite. Wel apart hoor. Los van die van jou heb ik wel meer sexy foto's van vrouwen gekregen. Gek dat je onder de anonimiteit van het wereldwijdeweb ineens zomaar naaktfoto's naar wildvreemden gaat opsturen...Cool hoor, echt cool, maar wel apart.

Je zegt dat je op zoek bent naar seks. Alleen seks, geen relatie. Wat vind je lekker? Waar hou je precies van als ik zo vrij mag zijn?

Liefs, Rolf.

Rolf keek naar de klok en besefte zuchtend dat hij zo naar de afspraak met de recruiter moest gaan. Hij klapte de laptop dicht, legde zijn armen gevouwen over elkaar er bovenop, en ging met zijn hoofd in zijn armen liggen. Voor even sloot hij zijn ogen. Toen stond hij op, liep naar de kast, pakte zijn zwarte spijkerbroek van de plank, kleedde zich om en verliet zijn woning.

15

Op de weg terug vroeg hij zich af of hij geen heel ongeïnteresseerde indruk had achter gelaten. Waarschijnlijk wel, omdat het hem nou eenmaal ook niet bovenmatig geïnteresseerd had. De recruiter had hem van alles gevraagd, over zijn opleiding, zijn werkervaring, zijn hobby's, zijn thuissituatie en over waar hij zichzelf over tien jaar van nu zag. Routinematig en zonder opsmuk had hij de vragen beantwoord terwijl hij zich realiseerde dat hij niet echt veel interesse had in een nieuwe baan. Natuurlijk, er moest geld verdiend worden, de rekeningen stapelden zich immers op en daarom solliciteerde hij ook, maar echt geboeid was hij niet.

Na het faillissement had zijn leven een andere wending genomen. Er was eigenlijk een heel ánder leven op gang gekomen. Een leven waarin vrouwen naaktfoto's aan hem op hadden gestuurd en een leven waarin een bijzondere vrouw als Charlotte haar opwachting had gemaakt. Een leven kortom, dat hem, als jonge behoeftige vent, veel meer boeide dan het kantoorleven dat zich doorgaans vlak en eentonig van 8 tot 5 had afgespeeld, waarna hij thuis voor de tv hing, en telkenmale weer op tijd naar bed was gegaan zodat hij de volgende morgen weer een geestdodende en verplichte dienst van 8 tot 5 uit kon zitten.

Dit nieuwe leven had hem veel meer vrijheden geschonken. Oké, het gebrek aan geld ging steeds meer domineren, maar de uren die hij voorheen verplicht moest doorbrengen op een armoedige bureaustoel en achter een fel computerscherm kon hij nu naar eigen wens zelf indelen. En die vrijheid, die gaf hem een machtig gevoel. Eindelijk was zijn tijd ook echt zíjn tijd en kon hij er naar eigen believen over beschikken.

Het was een soort innerlijke tweestrijd die hem ten deel was gevallen: aan één kant moest hij zo snel mogelijk op zoek naar een vast inkomen, maar aan de andere kant wilde hij het gevoel van vrijheid niet zomaar zonder slag of stoot opgeven. Een aantal keren in de voorbije dagen had hij zitten filosoferen wat hij zou kunnen doen in de vrije uren om geld te verdienen. Veel opties waren er echter niet, die conclusie had hij al snel getrokken. De enige reële mogelijkheid was de vrije tijd die hij de komende weken of maanden nog zou hebben, zoveel mogelijk benutten, ervan genieten, en ondertussen toch maar, gemotiveerd of niet, doorgaan met het zoeken naar een nieuwe werkgever.

Genieten kon hij de volgende dag alweer, want hij had een nieuwe afspraak met Charlotte. Weer in het hotel en dus weer, zo veronderstelde hij, eindigend in seks.

Dat deed het ook. Eigenlijk was het een kopie van de vorige afspraak, alleen werd er wat minder gepraat. Niet bewust, maar onbewust. Er was simpelweg minder te zeggen.

Toch stelde Charlotte, zittend op de rand van het bed terwijl zij haar zwarte panty aantrok, Rolf een vraag die als een bom bij hem in zou slaan. Ze zei op een toon die de vraag geheel ten onrechte veel minder belangrijk deed lijken als dat deze was: 'Zou je niet voor mij willen werken?'

Rolf, die op het terras een sigaret stond te roken, draaide zich om en vroeg: 'Als wat?'

Ze had haar panty weer helemaal aangetrokken, en schoof haar rok over haar beide benen heen.

'Als wat je nu doet. Als mijn minnaar.'

Rolf blies twee pluimpjes rook zijn neusgaten uit. Hij dacht haar, door de wind op het terras, niet goed te horen.

'Wat zei je?'

'Als mijn minnaar!'

Rolf schoot de half opgerookte sigaret het terras af en stapte tussen de gordijnen door naar binnen.

'Als jouw minnaar?'

Ze knikte terwijl zij de rits aan de zijkant van de rok omhoog deed.

'Als hoer bedoel je?'

Nu schudde ze haar hoofd.

'Als minnaar. Dat is wat anders.'

'Wat is het verschil dan?'

'Als hoer moet je klanten afwerken achter een smoezelig raam. Als minnaar, mijn minnaar, doe je alleen maar wat je nu al een paar keer gedaan hebt, alleen krijg je dan van mij betaald en hoef jij je verder over geld geen zorgen meer te maken.'

Rolf kuchte en zakte in een stoel.

'Je wordt dan,' Charlotte zei het op statige en langzame toon, 'mijn beroepsminnaar.'

Hij keek haar aan. Zij liep naar de badkamer. 'Denk er eens over na, Rolf. Je moet er ook niks geks achter zoeken. Zoveel mensen werken voor mij. Een heel hotel vol zelfs. Ik heb een mannelijke persoonlijke assistent, ik heb een mannelijke persoonlijk bewaker, ik heb een mannelijke persoonlijk advocaat, ik heb een mannelijke persoonlijke accountant. Ik heb alleen nog geen persoonlijk minnaar. En daarvoor wil ik jou hebben. Het zou mij goed uitkomen, Rolf. Erg goed. Ik wil geen relaties meer, dat heb ik allemaal al gedaan en is nou niet bepaald gunstig afgelopen. Ik wil helemaal niks meer op dat vlak, maar ik heb nog wel mijn behoeftes. Behoeftes die beter te bevredigen zijn door een jonge vent met een strak lijf die ik kan bellen als ik zin heb, dan dat ik één of andere vadsige vijftiger heb die met een pakket eisen mij vertelt wat ik moet doen.' Ze kwam terug uit de badkamer lopen en bleef voor Rolf staan. 'Trouwen noemen ze dat by the way,' glimlachte zij er achteraan.

'Maar hoe zie je dat dan voor je? Dat ik een contract teken met als functie: beroepsminnaar?'

Ze lachte. 'Pff, details, details. Als je een contract wilt, krijg je een contract. Stel ik je aan als personal-trainer of sportschoolbeheerder. We hebben hier een fitnesszaal beneden. Niet alleen voor hotelgasten, maar ook voor andere mensen. Ga jij lekker een paar uur in de week die oude Gooische Vrouwtjes trainen als je daar zin in hebt. Als je maar beschikbaar bent wanneer ik je nodig heb.'

Rolf liep terug het terras op, liet zijn beide handen rusten op het hek en zuchtte peinzend.

'Je kan ook weer een kantoorbaantje zoeken hoor, als je dat liever wilt,' riep Charlotte hem toe.

Daar raakte ze de kern. De kern van zijn probleem. Hij wilde inderdaad geen kantoorbaan meer. Hij genoot van zijn pas verworven vrijheid. Hij zocht naar wegen om zijn vrijheid te behouden en ondertussen toch ergens geld mee te verdienen. Zij bood hem die uitkomst. Hij kon ook niet echt een reden bedenken waarom hij het niet zou doen. Hij zou weliswaar iets aan vrijheid inleveren, maar kreeg daar seks met haar op reguliere basis voor terug en hij zou in grote lijnen zelf zijn eigen tijd in kunnen delen. Het enige nadeel dat hij zag was dat van de schijn van het hoereren. Want hoe zou hij zijn nieuwe functie uit kunnen leggen aan zijn vrienden? Of aan zijn ouders? Wat zou hij ze kunnen zeggen als ze zouden vragen wat zijn nieuwe functie precies inhield? Natuurlijk zou hij het sportschoolverhaal kunnen vertellen, maar een parttime sportschoolmedewerker zou zijn huur niet kunnen voldoen, zo veronderstelde hij. En als hij dat veronderstelde, deden anderen dat ongetwijfeld ook. Hij zou gewoon haar betaalde hoer worden. Hij zag in die functie op zich niet eens zoveel kwaad, meer in de uitleg en de gevolgen ervan.

16

Zijn opa, zo ging het verhaal, was meerdere keren in de oorlog op een fiets zonder banden van Amsterdam Oud-Zuid naar het Friese gehucht Greonterp gefietst, om daar een enorme jute zak met groenten op te halen en mee terug te nemen, zodat zijn gezin weer een paar weken vooruit kon. Thuis aangekomen gingen de kinderen de groenten van elkaar scheiden. Doperwtjes bij doperwtjes en sperziebonen bij sperziebonen. Als het voedsel enige weken later weer op dreigde te raken, stapte opa andermaal op de bandenloze fiets en trapte, hartje winter, weer richting Friesland. Zo kwamen ze de zware oorlogsjaren door. Na de oorlog werd opa uitvoerder in de bouw en droeg hij derhalve nog een flinke steen bij aan onder meer de bouw van de Coentunnel, die Amsterdam-Noord met Amsterdam-West moest gaan verbinden.

Als vijftienjarige hielp Rolfs pa mee. Hij mocht vooral veel sjouw-, trek- en sleepwerk verrichten. En schoonmaken, dat ook. Zware kruiwagens vol puin vervoerde hij van de werkplek naar containers. Geen werk voor een jonge tiener, zo meldde Rolfs vader regelmatig aan zijn zoon. Maar hij had geen keus. Opa had al twee banen, oma zorgde voor de acht kinderen en hij, als één na oudste zoon, moest gewoon meehelpen in de bouw, zodat er wat extra inkomsten voor het gezin loskwamen.

Rolf lag op de bank en dacht na over de familieverhalen. Zijn opa. Zijn vader. Mannen van graniet die met opgestroopte mouwen en zwarte nagelriemen op jonge leeftijd noeste arbeid hadden verricht. Die dagelijks pikzwart en bezweet thuis kwamen na een dag hard werken voor een loon waar Rolf niet eens vroeg zijn bed voor uit wilde. Hij had zijn opa nooit gekend. Die stierf toen Rolf een jaar oud was. Er was nog een foto ergens, in zwartwit, van Rolf op opa's schoot. Dikke sigaar in de mond. Opa was niet alleen een stevige werker geweest, maar ook een stevige drinker. Dagelijks, na afloop van een lange werkdag, was opa in de kroeg geweest om steeds grotere hoeveelheden whisky achterover te slaan. Van origine was het begonnen in zijn keel. Later zat de kanker door zijn hele lichaam heen. Ging ie nog meer drinken. En nog meer. Hoe meer hij dronk, hoe minder pijn hij voelde. Hij stierf uiteindelijk in de nacht. Vreedzaam. Onder het wakend oog van één van zijn schoondochters. Zij hoorde dat hij stierf. Tijdens iedere ademstoot piepte er achter in zijn keel iets. Ineens hoorde zij geen piep meer. Ze stond op en legde twee vingers op zijn keel. Er was niets meer.

Opa zou het voorstel om de betaalde minnaar van een welgestelde Gooische Vrouw te worden, nooit overwogen hebben, dat wist Rolf zeker. Pa ook niet. Werken voor je poen, dat was wat pa altijd riep, en Rolf moest zich wel heel erg vergissen als pa die uitspraak niet van opa had meegekregen. Rolf vroeg zich af of hij wel het recht had om Charlotte's voorstel te accepteren en zo dwars tegen zijn eigen opvoeding in te gaan. Hij zou niet meer worden dan een goedbetaalde toyboy in handen van een vermogende vrouw die graag, wanneer het haar uitkwam, verwend wilde worden. Dat was geen eerzaam beroep. Dat was zelfs helemaal geen beroep. Het was op zijn best een vorm van betaalde luiheid. Want luiheid was mede de reden dat Rolf het serieus overwoog, zo wist hij zelf. Luiheid was immers de enige verklaring voor het feit dat Rolf eigenlijk helemaal niet wilde solliciteren. Het was de enige verklaring voor het feit dat Rolf het wel erg relaxed vond dat hij de volledige zeggenschap had over zijn eigen tijd. Dat er niemand was die bepaalde hoe laat hij op kantoor moest zijn of hoe laat hij tussen de middag een broodje mocht gaan eten. Luiheid was zijn leidraad in het leven geworden en hoewel hij luiheid geen sterk motief vond, vond hij het dermate aantrekkelijk dat hij eigenlijk geen zin had om het uit zijn hoofd te verdrijven. Hij wist eigenlijk ook wel zeker dat hij Charlotte's voorstel aan ging nemen, ondanks opa. Ondanks pa. Ja, hij zou het gaan doen. Hij zou Charlotte's beroepsminnaar worden en tevens, wanneer het hem schikte, oude Gooische Vrouwen gaan helpen om in de fitnesszaal van Hotel Ingooi kilo's te verbranden. Hij wilde immers liever vrijheid dan zwarte nagelriemen.

'Dacht al dat je ja zou zeggen', whatsappte Charlotte terug nadat Rolf haar had laten weten op haar voorstel in te gaan. Rolf vroeg haar of zij wat op papier wilde zetten. Want hij wilde wel officieel de beheerder van haar sportschool worden, en hij wilde een regulier salaris, een pensioen en een vakantieregeling. Ze whatsappte alleen 'ok' terug. Rolf legde zijn telefoon aan de kant en liet zich achterover op de bank vallen. Hij voelde zich goed. Tevreden. Blij. Al klonk er ergens een mopperende, donkere stem in zijn hoofd. Vaag, brommend, loerend, als een sluipende hyena, onzichtbaar gemaakt door de nevels van de donkere nacht. Wachtend om toe te slaan.

17

De sportschool was gelegen in de kelder van hotel Ingooi. De ingang zat onderaan een trap aan de zijkant van het hotel. Je kon ook binnendoor naar binnen, maar omdat het tevens toegankelijk moest zijn voor niet-hotelgasten, had Charlotte een aparte ingang laten maken. Er werkte eigenlijk niemand in de sportschool. Af en toe kwam er eens wat hotelpersoneel op verzoek een kijkje nemen, maar daar hield het wel mee op. Je kon naar binnen door bij de balie van het hotel een pas te halen. Verder sprak alles voor zich. Begeleiding niet nodig.

Er waren kleedkamers met lockers, een sauna, een forse whirlpool, er was een flinke fitnessruimte, massagestoelen, er was een zithoek met frisdrankautomaat, er stonden een aantal trilplaten en er was een klein kantoortje waar eigenlijk, voordat Rolf er kwam te werken, nooit iemand zat.

Er was die morgen dan ook niemand. Rolf stond, gekleed in trainingspak en badslippers, peinzend aan de rand van de whirlpool met zijn armen over elkaar heen gevouwen.

Hij beschouwde vandaag als zijn eerste werkdag als beheerder van de sportschool. Gisteravond had hij nog tegen Charlotte gezegd dat hij vandaag ging beginnen. Schouderophalend had zij niet meer gezegd dan: 'Prima. Wat jij wilt. Sleutels kun je ophalen bij de receptie.' Meer niet. Want eigenlijk, en dat wist Rolf ook wel, was dit puur en alleen een voor hem gecreëerd baantje. Zij had niemand nodig in de sportschool, het ging prima zoals het ging. Maar omdat Rolf per se een daadwerkelijk contract wilde, met functie, met salaris en met snipperdagen, had zij hem dit voor de vorm aangeboden. Dat was de reden en meer reden was er niet.

Rolf liep het kantoortje binnen en keek om zich heen. Het stond midden in de fitnessruimte. Rondom glas, en gebouwd op een kleine verhoging, zodat de hele zaal van achter het bureau te overzien was. Hij klikte de radio aan en ging zitten op de zwarte bureaustoel. Er stond een pc op het bureau. Een goedkope printer in de hoek op een kastenblok. Papier zat er niet in. Rolf trok de bovenste la van het blok dat onder tafel stond open. Een kladblok, wat pennen, een perforator, nietmachine. Wat algeheel kantoorspul. Allemaal ogenschijnlijk niet vaak gebruikt. Hij zakte enigszins verveeld onderuit en pakte zijn telefoon uit zijn broekzak. Hij startte het internet op en checkte zijn hotmail. Tot zijn grote vreugde zag hij dat er een bericht was van AngelaAlkmaar.

Hey Kanjer!

Vervelend zeg, dat je werkeloos bent. Niet bepaald een leuke tijd om zonder baan te zitten. Hopelijk vind je snel weer wat nieuws!

Tja, en over zo'n vastgeroeste relatie kan ik meepraten. Mijn ex ook, want daarom lag ie waarschijnlijk met een stagiaire in bed, haha!

Ik herken wel veel in jouw mail, moet ik zeggen. Ik ben ook met dat seksdatinggedoe begonnen om weer eens wat spanning in mijn leven te krijgen en ik moet zeggen dat alleen al dit heen en weer mailen voor spanning zorgt, en daarmee bedoel ik uiteraard een hele prettige spanning. Over seks praten met een vreemde man, die ook nog eens veel jonger is, dat heeft wel wat moet ik zeggen en iedere keer als ik zie dat ik weer een mailtje heb voel ik mijn maag van opwinding omslaan!

Waar ik van hou op seksgebied? Van alles eigenlijk! Van heerlijke ongeremde en ongecompliceerde seks, zonder verdere verplichtingen.

Nu moet ik snel weg, maar ik hoop weldra weer wat van je te horen.

XXX Ang.

En weer was er een foto bijgevoegd. Dit keer eentje waarin ze met hoge hakken, panty's en een slipje als een fotomodel poseerde. Rolf keek er minutenlang naar. Haar lichaam was ondanks de leeftijd vele malen geiler en opwindender dan dat van Mariska. En als hij er zo over nadacht had hij per mail nu al meer over seks gepraat met Angela dan dat hij ooit met zijn ex-vriendin had gedaan. Seks was eigenlijk een onderwerp waar hij met Mariska nooit over praatte. Ze deden het gewoon, een keer of twee per week, zonder daar verder over na te denken of over te praten. Seks was er, na een leuk en hoopgevend begin, gewoon een beetje bij gaan horen, zoals eens in de zoveel tijd samen winkelen of de kerstverplichtingen. Hij had zelfs het idee gehad dat, als hij langer bij Mariska zou zijn gebleven, zij op zekere dag nog hooguit één keer in de maand seks zouden hebben. Zo weinig avontuurlijk, zo spanningsloos, zo verplicht was het al die tijd geweest. En dat, zo begreep hij later, was wel degelijk één van de redenen waarom hun relatie uitging als een nachtkaars. Het was een verplicht nummer geworden. Zij vond hem leuk en hij haar, maar daar hield het dan ook meteen mee op. Een relatie tussen man en vrouw hoorde niet gewoon leuk te zijn, maar veel meer dan dat. Hij zocht, hunkerde misschien wel, naar spanning, naar uitdaging. Hij wist nog dat Mariska in hun begintijd wel eens voor hem ging strippen. Zat hij op de bank en nam zij voor hem plaats, zette een zwoel muziekje op en ging uit de kleren tot aan haar lingerie. Zij verleidde hem en, toegegeven, dat kon ze. Kort na de geboorte van hun romance was er speelsheid en was er creativiteit geweest. Zochten ze naar standjes die nou niet meteen voor de hand lagen. Naar standjes die zelfs niet in boeken terug te vinden waren. Al was dat ze nooit gelukt. Nooit hadden ze iets gevonden wat niet in de kamasutra omschreven stond. Daar baalden ze wel van, maar ach, de lol van de zoektocht was vast groter dan de voldoening die een geslaagde vondst hun ooit had kunnen brengen. Lang duurde het experimenteren niet. De kamasutra werd ergens opgeborgen waar hij nooit meer teruggevonden zou worden en Mariska sprak een voorkeur uit voor de missionaris. En dan wel die met de man bovenop aan het werk en de vrouw languit liggend op het zachte matras. Niet dat het niet lekker was, maar de verplichting en de routine overschaduwden de intensiteit.

Rolf klikte het internet weg en legde zijn telefoon op het bureau neer. Later, thuis, zou hij haar mail beantwoorden. Nu niet, want er kwamen twee middelbare vrouwen kletsend binnen wandelen. Ze bleven stilstaan toen ze Rolf zagen zitten in zijn glazen kantoor. Hij stond op, knikte naar ze, en liep op ze af.

'Dames. Kan ik iets voor jullie betekenen?'

De ene porde met haar elleboog in de zij van de ander.

'Jij kan genoeg voor ons betekenen,' zei de eerste met een ondeugende grijns op haar gezicht. 'Maar vertel eerst eens wat jij hier doet. Werk jij hier?'

Rolf knikte.

'Sinds vandaag.'

'Nou nou, ik moet zeggen dat ik alleen maar voordelen zie.'

De twee dames lachten terwijl Rolf zich afvroeg of er in 't Gooi uitsluitend middelbare vrouwen bestonden die op zoek waren naar seks, of dat in ieder geval insinueerden.

De dag kabbelde met een tergend lage snelheid voorbij. Af en toe kwam er eens iemand binnen om een uurtje te trainen of om de sauna te bezoeken. Soms beiden. Veelal waren het vrouwen, eenmaal was er een man.

Rolf hoopte dat Charlotte nog langs zou komen, maar dat deed zij niet. Rond half vier vond hij het welletjes, sloot af, leverde de sleutels in bij de receptioniste van het hotel, ging naar huis en gaf antwoord op de mail van AngelaAlkmaar.

Hoi Ang,

Ik heb al weer een baan! Als medewerker in een sportschool van een hotel in het Gooi.

Dank voor je foto weer…. Iedere keer als je er eentje opstuurt moet ik drie keer slikken en voel ik me meteen opgewonden raken…

Gek ook, dat ik dat soort dingen gewoon tegen jou kan zeggen. Gek ook dat jij gewoon dat soort foto's naar me opstuurt. Begrijp me niet verkeerd: ik vind het helemaal te gek, maar de

vrijheid die wij hier per mail hebben in onze conversatie is echt
ongekend voor mij. We hebben elkaar nooit ontmoet, maar
sturen naaktfoto's op en vertellen elkaar wat we lekker vinden.
Hoe gaaf is dat wel niet!
Ik weet met iedere mail zekerder dat ik iets met jou wil afspreken... Ik hoop jij ook met mij.

Liefs, R.

18

Ze hadden die avond weer seks gehad. Uitvoerig. Overdag was zij langsgekomen op de sportschool en had hem verteld dat hij na zijn werk maar naar de bekende hotelkamer moest komen. Nummer 618. Natuurlijk had hij aan haar verzoek voldaan. Maar deze avond ging het niet eens om de seks, zo bleek later. Zij wilde hem wat vragen. Gewoon een vraag. Niets bijzonders was het. Ze had een vriendin, zo begon ze. Of althans, een vriendin was misschien wat sterk uitgedrukt. Meer was het een zakenrelatie. Een goede kennis. Wel een zekere vriendschappelijke band mee opgebouwd, vanwege de jarenlange relatie die ze hadden, maar een echte vriendin was het ook weer niet. Ze was iets ouder dan Charlotte, 54. Carmen heette ze. Carmen Ravenwoud. Ook, vanzelfsprekend, woonachtig in 't Gooi.
Carmen was een jaar of anderhalf geleden gescheiden van Marcel Ravenwoud. Marcel was een gigant in het vastgoed. Had miljoenen verdiend met transacties in rijke oliestaatjes, ergens in het Midden-Oosten of zoiets. Charlotte wist het ook niet precies. Drie kinderen hadden ze samen. Alledrie al volwassen. Nare kinderen, zo vond ze. Snobistisch. Verwend. Stereotype kakkers uit 't Gooi, die met een gouden verlostang ter wereld waren gekomen op een al even gouden verlosbed. Carmen, zo moest Charlotte ook eerlijk toegeven, was een typische Gooische Vrouw en had zichzelf jarenlang laten verwennen met het geld van haar man. Had zich uitgeleefd met haar paarden, met haar riante villa, met exotische tripjes over de hele wereld, met exorbitant shopgedrag, waarbij tienduizenden euro's op een enkele middag moeiteloos in kleren, sieraden en andere uiterlijkheden werden gestoken.
Ze leefde zich tevens uit op haar tennisleraar Paul, vertelde

Charlotte. Paul was nogal bekend in 't Gooi, want Paul vond het wel leuk om wat te rotzooien met al die rijke dames die nauwelijks wisten wat een slice backhand met topspin was, maar wel wisten hoe ze met geld moesten smijten. Ook Paul's kant op. Nadeel voor Paul was dat niet alle hardwerkende echtgenoten zijn inspanningen buiten het tenniscourt konden waarderen. Op een voor Paul slechte dag kwam hij bij het verlaten van de club twee louche kerels tegen. Type Hells Angels. Type motorrijders, bikers. Vond ie vreemd, want dat soort mensen zag je in deze buurt eigenlijk nooit. Zij waren dan ook met een speciale reden naar 't Gooi gekomen, zo bleek vijf pijnlijke minuten later. De voortanden konden nog wel worden vervangen door de tandarts. Maar het kostte de plastisch chirurg heel wat zweetdruppels om Paul's neus weer op de juiste plek terug te monteren.

En nu Carmen van Marcel gescheiden was, en Paul nooit meer in 't Gooi was teruggezien, miste Carmen bij tijd en wijle een man om haar heen. Niet voor een relatie, dat wilde ze niet meer, maar voor de seks. Puur en alleen voor de seks. Daar had ze het met Charlotte over gehad. Over de eenzaamheid in de avond, in de nacht. De eenzaamheid van een pruttelend trillende vibrator en de eenzaamheid van de eigen stimulerende vingers.

Al die tijd, gedurende het hele verhaal dat zij hem vertelde, had Rolf zich afgevraagd waarom zij hem dit wilde vertellen. Pas aan het einde van de vrijwel ononderbroken monoloog begon het hem te dagen, al wilde hij er eerst niet aan. Hij vroeg zich af of zij het hem echt ging vragen. Of zij hem ging vragen of hij, Rolf Derks, niet eens een avond en een nacht door wilde gaan brengen met haar vriendin, die eigenlijk geen vriendin was, maar meer een jarenlange zakenrelatie. Dat zou ze toch niet doen? Zij zou hem toch zeker niet uit gaan lenen aan deze Carmen, hoe eenzaam dan ook? Zij, Charlotte en Rolf, hadden nu toch zeker wel iets samen? Oké, misschien geen relatie, geen échte relatie, zo beschouwde hij het ook niet, en mede daarom mailde hij er ook op los met AngelaAlkmaar, maar ze hadden toch zeker wel teveel om zomaar even te vragen of hij een zakenrelatie eventjes op erotisch gebied kon gaan verwennen?

Want ja, er was toch iets. Iets. Wat dat dan precies was, daar kon hij zijn vinger ook niet echt op leggen. Ze hadden seks. Dat sowieso. Seks op reguliere basis. Ook dat. En ja, volgens afspraak was hij haar beroepsminnaar, onder de dekmantel van de nutteloze sportschoolhouder. Beroepsminnaar. Of het woord écht bestond, dat wist Rolf niet, maar als het zou bestaan, ja, als het werkelijk zou bestaan en opgenomen zou zijn in de Dikke van Dale, dan zou het, zo besefte hij, misschien, waarschijnlijk, heel erg waarschijnlijk zelfs, aangemerkt worden als synoniem voor hoer. Voor prostituee. Als betekenis zou er iets staan als: 'iemand die zich voor seks laat betalen'.

Charlotte zat inmiddels volledig gekleed op de bank, pakte haar glas wijn op, nam een slok, zette het glas terug op de tafel en keek indringend naar Rolf, die zich prompt warm voelde worden.

'Zou jij eens bij Carmen langs kunnen gaan?'

Rolf keek haar aan. Zijn ademhaling versnelde. Zij vroeg het hem dus echt. Tenminste, hij veronderstelde dat zij, met haar op meerdere manieren te interpreteren vraag, bedoelde of hij Carmen eens wilde bevredigen.

'Waarom?' vroeg hij dan toch maar, zoekend naar de bevestiging. 'Waarom moet ik bij haar langs gaan?'

Zij keek hem met een vreemdsoortige glimlach aan. Het leek zelfs een enigszins minachtende glimlach.

'Om haar eens te verwennen. Zoals je mij ook verwent.'

Hij vroeg of zij meende wat ze zei.

'Waarom niet? Je bent goed in bed. Je hebt een heerlijk gespierd lijf. Doe met haar wat je met mij doet en zij kan er weer even tegen.'

Rolf draaide zich om en keek naar buiten.

'Ik ben geen hoer, Lot.'

'Weet ik, schat. Ze gaat je er ook niet voor betalen.'

'Ik weet niet wat ik hiervan moet vinden. Van jouw vraag.'

Ze haalde haar schouders op.

'Je hoeft er niets van te vinden. Het is seks, meer niet. De bevredigende leegheid van seks als vriendendienst.'

'Ze was toch geen vriendin?'

'Zij niet. Maar ik ben wel een vriendin. Van jou toch? Je zou mij er een groot plezier mee doen.'

'En dat snap ik dus niet,' Rolf viel haar half in de rede. 'Waarom zou ik jou er een groot plezier mee doen? Zij is een zakenrelatie, geen vriendin. En je vraagt mij om een zakenrelatie te naaien? Waarom, hoe, doe ik jou daar in godsnaam een plezier mee?'

'Zaken, mop. Het is goed voor mijn zaken.'

Rolf zuchtte luid. Zij hoorde het, reageerde er niet op en stak stoïcijns een sigaret op.

'Zaken,' mompelde Rolf. 'Ik ben een zakendeal voor jou.'

'Doe nou niet zo. Het is séks, Rolf. Meer vraag ik niet van je. Kom op, hé: seks! Je valt toch op oudere vrouwen? Nou, zij is ouder. Best charmant ook. Ze is wat voller dan ik, flinke borsten. Prima verzorgd. Charmant.' Even hield ze stil. Daarna zei ze op zachtere toon: 'Het is echt alleen seks, Rolf. Alleen seks. Ik vraag je niet om haar gras te maaien, haar plafond te witten of om haar heg te snoeien. Ik vraag je om iets te doen wat je leuk vindt. Wat je lekker vindt.'

Hij streek over zijn voorhoofd terwijl hij zich werkelijk afvroeg of hij naar haar zou luisteren of dat hier ergens die vileine grens moest liggen tussen wanneer wel en wanneer niet te gehoorzamen.

19

Hij had het gedaan. Natuurlijk had hij het gedaan, want Charlotte had het hem gevraagd. Hij vervloekte zijn eigen onvermogen om haar te negeren. Om haar nou eens te vertellen dat zij niet bepaalde wat hij deed of ging doen en dat hij zijn eigen baas was. Maar hij kon niet anders. Er was ergens iets, een merkwaardig soort kronkel in zijn hoofd, dat hem iedere keer weer als was in haar handen maakte. Zij, Charlotte, zat in zijn hoofd, controleerde niet alleen zijn agenda, maar ook zijn gedachten en dus was hij met Carmen weggeweest.

Een ware straf bleek het overigens niet. Carmen was, als Charlotte, een ware Gooische Vrouw, met een overdaad aan zelfvertrouwen en zelfverzekerdheid waar hij slechts met moeite langsheen kon kijken. Ze was eerder vriendelijk dan arrogant, pedant of afstandelijk, zoals hij misschien had verwacht, en leek ook oprecht geïnteresseerd in hem.

Ze keuvelden in het Oosterse restaurant waar ze dineerden, over wat hij zoal deed, en hij vertelde over het faillissement en over zijn nieuwe baan in de sportschool van Lot. Hij vertelde, op haar verzoek, over zijn jeugd in Amsterdam. Over zijn hobby's, zijn vrienden en familie, over zijn leven in totaliteit, en zij leek oprecht vol interesse.

Hij vroeg haar op zijn beurt naar haar leven. Eerst hield ze wat af, alsof ze niet teveel los wilde laten aan de jongeman die ze eigenlijk niet kende, maar mondjesmaat kwam er meer los. Ze was geboren en getogen in 't Gooi. Kwam ter wereld in Hilversum, groeide in haar kinderjaren op in Laren en werd aanvankelijk opgevoed door jaarlijks wisselende nanny's en au pairs. Haar vader was een hoge oom bij een bank en eigenlijk zag zij hem niet vaak. Twee, drie keer in de week. Hooguit. Haar moeder deed niets, maar kon toch zelden tijd vinden voor haar kroost. Prioriteiten lagen bij oppervlakkigheden als de laatste mode, keurig onderhouden nagels, wekelijks wisselende haardrachten en dagelijkse uitjes naar zonnebanken en fitnesscentra. Zij, Carmen, had zich al vroeg voorgenomen alles anders te doen. Zelf haar kinderen op te voeden. Een band op te bouwen zoals haar moeder zelfs nooit geprobeerd had. Gedeeltelijk was haar dat ook gelukt. Gedeeltelijk was zij dan ook tevreden met haar leven. Haar kinderen waren haar dierbaar en, zo veronderstelde ze, zij aanvaarden haar niet alleen als moeder, maar ook als opvoeder, als vriendin misschien zelfs.

Haar scheiding was logisch geweest. Het gevolg van een jarenlange splitsing van levens. Hij leidde zijn leven, met als hoofddoel geld verdienen, en zij leidde het hare met als hoofddoel hun beider kinderen. Hij knikte begrijpend toen zij hem meldde dat zij haar leven met hem niet meer zag zitten. De scheiding was net zo zakelijk als hun huwelijk was geweest. Het was haar doelstelling om de verworven rijkdommen in eerlijkheid te verdelen, terwijl het zijn doelstelling was om zoveel mogelijk voor zichzelf te houden. Niet om te genieten van luxe of financiële vrijheid, maar meer om het getal op zijn rekening te zien groeien, met geen enkel ander doel dan de groei op zichzelf.

Over de kinderen was nooit een discussie geweest. Zonder erover te spreken wisten beiden dat zij bij haar bleven. Immers, zij hoorden bij de doelstelling die zij bij aanvang van hun huwelijk had gesteld, en zeker niet bij die van hem. Het klonk kil, besefte zij toen ze het vertelde, maar er was ook wel een praktische zijde aan het verhaal: alles was immers helder en duidelijk. Een huwelijk, zoals vaker in hun omgeving, was een overeenkomst die onder bepaalde voorwaarden tot stand was gekomen. Liefde was weliswaar een onderdeel van de overeenkomst, maar dan wel eentje die zijn plaats moest kennen en zeker niet in de top drie der voorwaarden terug te vinden was.

Het was merkwaardig, hoe de werelden van Carmen en Rolf verschilden. Dat was hem al opgevallen bij Charlotte. Amsterdam en 't Gooi, slechts gescheiden door hooguit een minuut of twintig aan snelweg, leken als IJsland en China: duizenden kilometers van elkaar verwijderd.

Later die avond belandden ze op hotelkamer 618. En, zoals ze beiden tevoren al hadden geweten, kwam het tot seks. Een vreemdsoortige, maar toch zeker geen onprettige vorm. Vreemdsoortig, omdat het conform een afspraak was. Prettig, omdat het ongedwongen en zonder enige verplichting achteraf was. Gewoon seks omdat het lekker was en vooral ook lekker moest blijven. Voor beiden welteverstaan, zo liet zij blijken met haar daden.

Zoals Lot had aangegeven, was Carmen voller dan zij. Verre van dik, maar niet het afgetrainde, goed geconserveerde, strakke lichaam dat Rolf van Lot kende. Carmen had flinke borsten, met bovenin, bij het decolleté een aantal moedervlekken, waar hij tijdens het diner in het Oosterse restaurant reeds een aantal keren naar had gekeken, al ware het zo'n opgeplakte vlieg waar je op moest mikken in een urinoir.

Carmen had weinig remmingen. Geen enkele vorm van schaamte voor de door afspraak verworven seks. Ze gaf zich volledig over aan haar lust en haar passie. Zijn lichaam, jongensachtig, strak en enigszins gespierd, wond haar blijkbaar dermate op, dat zij, in tegenstelling tot wat je van iemand van haar middelbare leeftijd op voorhand zou verwachten, alle schroom bij aanvang al van zich af had geworpen of wellicht nooit had gehad.

Toen zij samen op de bank zaten, begon zij hem te zoenen en te masseren in zijn gespijkerbroekte kruis. Haar assertiviteit greep hem direct bij de strot en zijn lid groeide in zijn broek terwijl zijn tong het tempo in haar mond opvoerde en zijn hand gulzig richting haar borst gleed. Even later nam zij plaats op de rand van het bed en vroeg hem zich uit te kleden. Hij gehoorzaamde, hoewel hij even terugdacht aan die eerste keer met Charlotte. Ten onrechte, want toen hij in zijn onderbroek voor haar stond, vouwde zij de bovenste kooitjes van haar vingers in zijn boxer, trok hem naar zich toe, gleed met opvallend gemak de boxer naar beneden, en keek een paar tellen naar zijn vooruitstekende lid. Daarna stond zij op en duwde hem met een zelfverzekerde achteloosheid met zijn blote kont op de plek waar zij zojuist van was opgestaan. Zij stond voor hem en keek op hem neer met een verleidelijke lach terwijl zij zich eerst ontdeed van haar bovenkleding en daarna van haar rok. Zijn hartslag versnelde. Haar kleding viel op de grond. Haar handen gleden op haar rug en openden de sluiting van haar rode BH. Terwijl zij deze op de grond liet glijden, sloeg zij haar handen voor haar borsten. Al wat hij zag waren haar handen, met daarboven, het bemoeder-vlekte decolleté dat hij eerder reeds verleidelijk voor zich had gezien in het Oosterse restaurant. Zij gleed met het mengsel van stijl en elegantie die Gooische Vrouwen zo kenmerkte, op zijn schoot en haalde haar handen voor haar borsten weg. Rolf keek enkele tellen met open mond naar haar grote borsten, die op slechts een decimeter afstand van zijn hoofd verleidelijk voor hem hingen. Die enkele tellen duurde haar klaarblijkelijk te lang, want zij pakte zijn hoofd resoluut vast en trok het naar zich toe. Rolfs hart klopte in zijn keel nu zijn hoofd door haar handen werd uitgesmeerd over haar borsten. Hij zoende, hij likte, hij genoot. Zij duwde hem achterover op het bed en bleef, op handen gesteund, over hem heen hangen en al wat hij zag, en al wat hij ooit nog wilde zien, waren haar wiegende borsten pal boven zijn hoofd. Met één hand greep zij achter zich naar zijn erectie en begon met een ferme grip te trekken terwijl hij zacht-jes in haar linkertepel beet. Toen rechtte zij haar rug, liet hem naar binnen glijden en begon te stoten. Eerst lichtjes. Daarna steeds harder en harder. Zijn blik verliet haar steeds heftiger wiegende borsten geen moment. Hij voelde zijn hoogtepunt naderen, veel te snel zo bedacht hij zich, maar onafwendbaar. Het maakte haar niet uit. De nacht was immers nog jong en ze zouden het nog een aantal keren doen. Zo voltrok het laatste deel van de avond en het eerste deel van de nacht zich. Ver-schillende standen. Verschillende uren, zij het met enige tus-senpozen.

De volgende morgen aten zij gezamenlijk het ontbijt op kamer 618 en spraken zij niet meer over de seks. Daar was ook geen reden toe. Zoals er vooraf niet over gesproken was, zo werd er achteraf ook niet over gesproken. Carmen keuvelde verder waar zij de vorige avond waren gebleven. Oppervlakkige onderwerpen werden behandeld. Uitgaan in Amsterdam. Lekkere eettenten. Kunst. Zij was van de kunst. Het Rijksmuseum, dat eerdaags zijn poorten na tien jaar verbouwing weer zou openen, werd kortstondig behandeld. Even nog, tijdens het ontbijt, hoopte Rolf dat er nog een ochtendwip in zou zitten, maar hij durfde het haar niet te vragen. Hij was hier, zo was van origine in ieder geval de opzet, voor haar genot. Zij veel minder voor het zijne. En aangezien zij geen enkele maal aanleiding gaf om nogmaals tussen de lakens te belanden middels een korte streling, een verleidelijke glimlach, of een ochtendzoen op de mond, dwong hij zichzelf om de vraag niet te stellen en laafde zich aan mooie gedachten over die heerlijke nacht met Carmen. Carmen Ravenwoud, die eigenlijk geen vriendin was maar meer een jarenlange zakenrelatie van Lot.

20

Hoi kanjer,

Dan moeten wij inderdaad maar eens afspreken. Het lijkt mij beter om zo'n eerste keer af te spreken in een openbare gelegenheid. Klinkt misschien alsof ik je niet vertrouw, maar ik ken je natuurlijk alleen maar van email verkeer. Ik heb geen idee of alles wat je zegt waar is en je hoort tegenwoordig zoveel gekke dingen dat ik het wel een fijn idee vind om niet meteen thuis af te spreken. Hoop dat je daar begrip voor hebt.

Misschien is het handig om in Zaandam af te spreken. Is ongeveer halverwege voor ons beiden en ik weet daar wel een leuk tentje waar we wat kunnen gaan drinken.

Ik hoor graag van je.
Ang.

Rolf twijfelde meer en meer aan zijn digitale relatie met AngelaAlkmaar. Hij had zijn draai nu wel aardig gevonden in zijn nieuwe leven, met zijn nieuwe baan en met Charlotte. Eigenlijk paste Angela daar niet in. De omgang met haar was strikt genomen toch een vorm van bedrog richting Charlotte, al had Lot hem zelf al eens uitgeleend aan Carmen. En hoewel zijn nieuwsgierigheid door Angela op hevige wijze was gewekt door de e-mails en de foto's, wilde hij diep in zijn hart het contact met haar verbreken. De seksdatingsite was immers begonnen als het tijdverdrijf van de werkeloze, maar inmiddels had zijn nieuwe leven een volle vlucht genomen en AngelaAlkmaar - net als alle andere aan seksdatingsites gerelateerde mails die hij met enige regelmaat nog altijd binnenkreeg - paste daar niet in.

Op de berichten van de anderen reageerde hij dan ook al een tijdje niet meer. Met Angela was het echter anders. Met haar had hij nu een volwaardig mailcontact en de gesprekken die zij hadden gevoerd waren prettig, interessant en opwindend tegelijk. Toch wilde hij het liefst het contact radicaal verbreken, maar naar Angela toe vond hij dat hij dat absoluut niet kon maken. En zoals zo vaak in zijn leven, cijferde hij zichzelf ook nu maar weg en besloot mee te gaan in dat wat ogenschijnlijk beter was. Beter voor de ander welteverstaan, niet noodzakelijkerwijs voor hem.

Lieve Angela,

Tuurlijk heb ik daar begrip voor. Zeker als vrouw zijnde moet je oppassen met dit soort blind dates. Hoop gekken in de wereld. Ik heb geen enkel probleem om naar Zaandam te komen hoor, geef maar een adres en een datum. Ik zal er zijn.

R.

21

Het vliegtuig was iets vertraagd, zo zagen zij op de borden in de terminal. Het gaf niet. Ze dronken gezamenlijk nog een extra kop koffie in de lobby van Schiphol. Vertraging was niet meer dan slechts een klein beetje hinder onderweg naar een paar leuke dagen.

Zij had hem pas twee dagen eerder verteld dat ze naar Barcelona zouden gaan. Charlotte had een aantal overnachtingen geboekt in het Majestic Hotel. Daar was ze al eerder geweest. Een luxe vijfsterren hotel, met prachtige kamers voorzien van grote flatscreen tv's. Er was een cocktailbar, een spa met sauna, stoombad en allerlei zalige behandelingen, en er was een zwembad op het dak. Dat alles op tien minuten loopafstand van de Rambla. Zij zou hem alles van Barcelona laten zien. Alle ontwerpen van Gaudi, het strand, de Sagrada Familia, het winkelhart, de Montjuic, de lekkerste restaurants en zelfs, als hij dat wilde, zou zij ervoor zorgen dat ze even in de catacomben van Camp Nou mochten kijken. Terwijl zij daar zaten te wachten in de lobby dwaalden zijn gedachten af naar Texel.

Paar maanden eerder. Rolf en Mariska hadden besloten dat ze nu eindelijk eens samen een midweek weg moesten gaan. In het voorjaar kochten ze een tweepersoonstent op de bovenverdieping van een warenhuis. Een blauwe. Met zo'n openklappende flap van voren. Met een rits. Zou voor ongeoefende kampeerders ongeveer twee tot drie uur duren om op te zetten. Maximaal. 'Al heb je er natuurlijk altijd van die sukkels bij,' grijnsde de verkoper nog. Ze belden naar een camping op Texel en reserveerden een plekje voor de aankomende zomervakantie.

Hun relatie was rond die tijd in de fase waarin de Titanic verkeerde toen de ijsschots zojuist was geramd: het voer nog fier en trots, maar was in feite reddeloos verloren.

Op die regenachtige maandag deden ze er vijf uur over voordat de tent stond. En dat was alleen maar omdat een handige buurman in ruil voor een biertje ze na vier uur klungelen had geholpen. Mariska was een uur daarvoor al stampvoetend weggebeend: door de regen en de onwillende tent had Rolf haar beledigd. Zij hem trouwens ook, maar dat scheen niet van belang te zijn.

Toen ze eindelijk terugkwam had ze een blaar, wat ook zijn schuld bleek te zijn, en dook boos en statementmakend met een boek van Saskia Appel de tent in. Rolf luisterde enige tijd muziek in de auto totdat hij, natuurlijk hij, inbond, haar opzocht en 'sorry' zei. Dinsdag drentelden ze 's ochtends met opgestoken kragen over het strand en de duinen. Ze maakten een fietstocht om het eiland te bekijken. Ze hadden missionarisseks, met Mariska onderop, in de tent. En 's avonds deden ze zich tot diep in de nacht tegoed aan drank en dans in Club Maria.

Woensdag was als dinsdag. 's Morgens praatten ze al fietsend over de toekomst. Mariska wilde later kinderen. Drie. Dat wist ze al. Eerst een meisje en dan twee jongetjes. Rolf had nog geen idee of hij wel kinderen wilde, laat staan hoeveel en van welke soort of type. Hij kreeg van haar nog twee jaar om te beslissen, zodat zij eventueel nog tijd genoeg had om een vent te vinden die wél kinderen wilde. Het verschil met dinsdag was dat Mariska hem in Club Maria al om half twee meldde dat ze naar de tent terug wilde. Ze was moe. Rolf wilde niet mee. Hij wilde nog even blijven met een groep jongeren uit Schagen die ze op de camping hadden leren kennen. Om drie uur schoof hij naast zijn slapende vriendin.

Donderdag werd hij pas voorbij het middaguur wakker. Zij was er niet. Ze bleek, daar kwam Rolf achter toen hij haar belde, in Den Burg. Winkelend. Ze was op zoek naar een jurk voor het aanstaande huwelijk van haar voormalige buurmeisje. Het kon nog wel even duren, zei ze. Hij besloot een kroeg op te zoeken met twee van de jongens uit Schagen. Die avond was hij kogellam, kwam pas rond half zes terug, en kotste voor de tent waarin Mariska al uren lag te slapen. De volgende morgen, toen ze naar de sanitaire voorzieningen wilde, zakte ze tot aan haar enkels in Rolfs gedropte maaginhoud. Haar fles haarlak raakte hem vlak boven zijn oog en haalde zijn wenkbrauw open. De bus deodorant ketste af op zijn achterhoofd.

De hitte viel over hen heen toen Rolf en Charlotte in Spanje het vliegtuig verlieten. Ver over de dertig graden. Boven hen stond een strak blauwe hemel, die slechts werd gevuld door enkele verdwaalde plukjes wolk en een brandende zon.

Een taxi bracht hen van de luchthaven naar het neoclassicistische Majestic Hotel aan de Passeig de Gràcia. De luxe van Hotel Ingooi leek ineens niet meer dan de armoedige beschutting van een smoezelig viaduct met een stel oude kranten als dekens. Ze aten tappas. Dronken wijn. Ze praatten over de stad, over het leven, over alles. Hij maakte foto's met zijn mobiel toen zij poseerde voor het mozaïek in Parc Guell. Hij filmde hoe zij zonnebakte op het strand. Ze slenterden door rumoerige straten en laveerden tussen de Catalanen en toeristen door over de druk bezette boulevard. Die avond aten ze vier gangen in een sjiek restaurant en begonnen ze aan de nacht met uitgebreide seks. En toen ze klaar waren deden ze het nogmaals. En de volgende morgen een derde keer.

Ondanks dat ze beiden een zonnebril droegen hielden zij hun vlakke handen boven hun ogen om beter te zien. De zon werd vanuit hun zichtveld weliswaar in stukken gereten door de torens van de Sagrada Familia, maar de stralen die er tussen door schenen waren dusdanig fel dat, als ze hun ogen sloten, ze het licht in de binnenkant van hun ogen nog even bleven zien, totdat het uiteindelijk langzaam doofde.

'Ik heb het zo vaak gezien, maar het blijft indrukwekkend,' zei Lot. 'Zeker als je bedenkt dat de eerste steen in 1882 werd gelegd.'

'Werkelijk?'

Ze draaide haar hoofd naar hem.

'Wist je dat niet dan? Dit is een heilige bouwput. De basiliek die nooit af zal zijn en voor eeuwig omgeven zal worden door steigers met gehelmde bouwvakkers er bovenop. Gaudi begon er ooit aan. Woonde er zelfs. Maar werd overreden door een tram. Hij ligt in de basiliek begraven. De meester voor altijd in de schoot van zijn magnum opus.'

'En niemand heeft het afgemaakt?'

'Nou ja, ze zijn volop bezig, hé. Maar ik geloof dat ze afhankelijk zijn van giften en zo. Als wij straks kaartjes kopen om naar binnen te mogen, dan gaat de opbrengst naar de bouw. Die beeldhouwwerken op de gevel, die beelden verschillende levensfases van Jezus uit. Ben je gelovig?'

Rolf zei van niet.

'Ik ook niet. Van huis uit wel. Die Bijbelverhalen, die ken ik wel. Die gevel voor ons beeld de geboorte van Jezus uit. De enige gevel die Gaudi nog ontworpen heeft, en dus ook de enige die in Catalaans modernistische stijl is gebouwd.'

Ze stak een sigaret op en gaf hem er ook één.

'Misschien is het allemaal wel waar wat er in de Bijbel staat, het valt niet uit te sluiten, maar weet je wat het is: ik wíl er niet in geloven. Ik wil mijn leven niet leiden zoals een boek dat voorschrijft. Ik wil het doen op mijn eigen manier, snap je. Het zou toch wat zijn als je al de beslissingen in het leven maakt op basis van wat zo'n gedateerd boek je vertelt. Dat wil ik helemaal niet. Ik wil zélf leven, naar mijn eigen maatstaven.'

Charlotte kocht kaartjes en ze liepen hand in hand de kerk binnen. Ze bekeken de gewelven, de beelden, de sculpturen, de altaren en de graftombe van Gaudi. Van tijd tot tijd vertelde Charlotte dingen die ze wist van de talrijke bezoeken die ze tot nu toe aan de basiliek had gebracht. Ze zei dat diverse delen van de kerk alweer gerenoveerd waren of juist weer gerenoveerd moesten worden. En dat de kerk een paar jaar geleden tot basiliek werd gewijd door Paus Benedictus XVI.

Met de lift gingen ze de toren in om over heel Barcelona heen te kijken.

'Alsof je vanuit het huis van God op de wereld neerkijkt. Zo'n gevoel geeft het.'

Rolf knikte.

'Schitterend. Echt schitterend.'

Zij keek hem aan en glimlachte. Toen drukte ze haar hoofd tegen zijn borst aan.

'Als die mensen hier niet waren geweest,' zei ze, 'zou je me hier en nu, in het ultieme huis van God, mogen neuken.'

Verward keek hij haar aan. Ze grijnsde ondeugend naar hem en pakte toen met haar tanden zijn oorlel beet. Hij voelde haar tong heen en weer gaan. Hij sloot zijn ogen en haalde diep adem. Opwinding, als altijd wanneer zij liet merken seks te willen. Haar hand gleed naar zijn kruis en begon hem te masseren.

'Lot… kom op, niet hier… later. In het hotel.'

Ze legde haar hand op zijn achterhoofd en begon hem te zoenen. Hij keek langs haar hoofd onrustig om zich heen. Niemand leek hen op te merken. Het uitzicht en de locatie waren interessanter dan het hitsige stel verderop. Ze stopte.

'In het hotel ben jij voor mij,' fluisterde ze in zijn oor. Hij knikte van ja.

De volgende dag bezochten ze, op zijn verzoek, Camp Nou: het voetbalstadion van FC Barcelona. Was de Sagrada Familia de tempel van God, dan was Camp Nou toch zeker de tempel van Lionel Messi. De catacomben en kleedkamers van het oude stadion waren niet eens indrukwekkend. Rolf was ooit in de Amsterdam ArenA geweest, en daar was het echt mooier, beter, luxer. Ze liepen door het museum en herkenden de foto's van Cruijff, Neeskens, Koeman, Van Gaal en Kluivert. Cocu, Overmars, de broers De Boer en Van Bronckhorst. Maar ook buitenlandse sterren als Maradona, Rivaldo, Litmanen, Romario, Laudrup en Stoitsjkov, en ja, daar was-ie, daar achteraan, maar op een prominente plek: Messi. Op een enorm scherm stond te lezen dat FC Barcelona het de volgende dag op zou nemen tegen Real Zaragoza. Ze klommen de tribune op, hoog in de nok en keken naar beneden, naar het heilige gras. Even later mochten ze zelfs even het gras betreden. Heel even en alleen op een strook gras, buiten de witte lijnen. Samen bewonderden ze de prijzenkast met talrijke bekers, trofeeën, schalen en Europa

Cups.

Even later nuttigden ze de lunch in een lief uitziende bistro, nabij het volle strand. Ze wandelden verder en hielden stil bij een herenhuis dat ook al ontworpen was door Gaudi. De naam was Lot even kwijt. Ze bezochten het Museu Picasso en bewonderden het werk van de Spaanse kunstenaar. Ze tafelden uitgebreid bij kaarslicht. Een gitarist begeleidde een aantal fraai uitgedoste dames die de Flamengo dansten, en toen ze klaar waren klapten Rolf en Lot hun handen blauw. Ze genoten. Van elkaar. Van het eten. Van de muziek. Van het leven. Dít was pas leven, zo vond Rolf. Dit was het ware leven zoals hij het altijd had gewild. En zij, Charlotte, zij had het hem gegeven.

Met een taxi reden ze de Montjuic op. Daar ergens wist zij een hippe openluchtclub met nog veel meer danseressen, DJ's, palmbomen en alle soorten Spaanse dranken: La Terrazza. Ze dansten en kletsten. Ze lachten en dronken. Zij probeerde de Flamengo, hij klapte en gierde van de pret, toen zij nogal klungelig onderuit ging. Terwijl blaasinstrumenten klonken, dansten zij, in een steeds groter wordende ring van Catalanen en toeristen, de Sardana. Daarna nam een DJ het weer over en dreunde de beats van Tiesto en Rihanna door de speakers.

Rolf en Lot waren moe en streken ieder neer op een barkruk bij de kleinste van de in totaal drie bars. Zij wilde wijn, hij bier. Hij bestelde. Zij moest naar het toilet.

Toen Lot even later terugkwam stond Rolf met de barvrouw te praten. Type: Spaans. Kort zwart, golvend haar. Donkere en grote ogen met daarboven zware wenkbrauwen. Brutale blik. Felrood gekwaste lippen. Klein van stuk, maar wel met een wulpse inkijk. De Spaanse lachte als reactie op iets wat Rolf in haar oor zei. Daarna boog zij zich iets verder over de bar en legde een hand op zijn schouder. Ze zei iets terug. Nu lachte hij. Charlotte's mond verstarde. Haar ogen knepen zich iets samen terwijl haar armen zich over elkaar heen vouwden en haar adem versnelde. Even stond ze daar. Kijkend. Bestuderend. Een meter of tien stond zij slechts bij hem vandaan, maar Rolf zag haar niet. Zijn aandacht was voor even bij de Spaanse, die haar hand op zijn arm had gelegd. Het was niet dat zij er iets mee bedoelde, en het was ook niet dat Rolf er iets achter zocht. Hij had een kort maar geanimeerd gesprek met een vrolijke Catalaanse dame, meer was het niet voor hem, maar zeker ook niet voor haar. Charlotte had genoeg gezien. Met besliste passen stapte zij op Rolf af, die toen hij haar zag naderen een glimlach op zijn gezicht kreeg. Zij pakte zijn arm stevig vast en zei in zijn oor op luide toon dat ze er vandoor ging en liep daarna in de richting van de uitgang. Rolf keek met enige verbazing naar de barvrouw en knikte naar haar als dank voor het gesprek. Zij knikte lachend terug.

Charlotte liep met grote passen door. Rolf ging achter haar aan. Langzaam kwam het besef in hem op dat zij boos was. Geïrriteerd. Waarom wist hij niet. Sterker nog, hij had geen flauw idee. Hij probeerde haar in te halen maar door het drukke Spaanse verkeer duurde het even voordat hij bij haar was. Hij greep haar uiteindelijk bij haar arm en riep toen: 'Lot! Is er wat?'

Ze rukte zich los, bleef even staan, keek met een giftige blik zijn kant op en liep toen verder met dezelfde, besliste passen als zojuist. Weer pakte hij haar vast. Weer rukte zij zich los.

'Wil je daarmee stoppen?' bitste ze hem toe.

'Ik wil weten wat er aan de hand is.'

Ze keek hem aan. Hij zag dat haar neusvleugels wijd uit stonden. Ze ademde snel en diep. Ze was echt boos.

'Heb ik iets gedaan?'

'Natuurlijk heb je iets gedaan. Dat weet je best.'

Ze draaide zich om en hield een taxi aan, die ogenblikkelijk stopte. Ze trok het portier open en vroeg de Catalaanse chauffeur haar naar het Majestic Hotel te brengen. Ook Rolf wilde instappen, maar Lot trok de deur achter zich dicht, en beet hem door het raam toe dat hij maar moest lopen. De chauffeur wierp vanachter het stuur een brede grijns Rolfs kant op en reed weg.

Hij keek de taxi na totdat deze om een hoek verdween. Rolf streek peinzend over zijn lippen. Het was over drieën. Midden in de nacht. Boven op de Montjuic, uitkijkend over de drukke stad. Over talloze lichten. Hij voelde in zijn broekzak maar vond niet meer dan een paar verdwaalde euro's. Net genoeg voor een biertje of twee, maar zeker niet voldoende voor een taxi. Hij zuchtte. Rolf had geen idee hoe hij vanaf hier terug moest lopen naar het hotel, als het überhaupt al op loopafstand was. Hij besloot terug te gaan naar La Terrazza. Misschien dat de barvrouw hem kon vertellen hoe hij terug moest komen bij het hotel.

Ze glimlachte toen ze hem aan zag komen en vroeg in haar Spaanse Engels of hij toch nog wat wilde drinken. Hij schudde zijn hoofd en vroeg haar of zij het Majestic Hotel kende. Ze knikte. Ze was op de fiets en wilde hem best even brengen. Nog een half uur, dan was het vier uur en was ze vrij. Hij mocht wel bij haar achterop.
'Doe me dan toch maar een biertje,' zei Rolf.

22

Ze heette Ana. 'Een echte Catalaanse meisjesnaam,' zei ze.
Haar hele leven lang woonde ze al in Barcelona. Dit was haar
stad. Ze hield van de mensen, van de ligging aan de Montjuic en
ook aan de zee. Ze hield van de architectuur, de Rambla. Ze
was in veel plaatsen geweest, zelfs ooit in Amsterdam, maar
geen enkele plaats was zo 'magnifico' als Barcelona. Halverwege hield ze stil en stapte af. In de nachtelijke warmte was
fietsen, na een avond serveren en met een volwassen man achterop, vermoeiend. Nu was het zijn beurt om te trappen. Zij zou
de aanwijzingen geven.
Ana vroeg hem of ze erg boos was geweest. Rolf snapte niet
wat ze bedoelde.
'Die vrouw, waar je mee was, was ze erg boos op je?'
Rolf haalde zijn schouders op en loog tegen Ana dat het wel
meeviel.
'Je kan maar beter niet zeggen dat ik je ook nog naar het hotel
heb gebracht.'
'Oh, maar ze was niet boos om jou, hoor,' haastte Rolf zich te
zeggen.
Ze grinnikte.
'Ze was wel boos om mij. Zag je haar dan niet staan toen ze
terug kwam van het toilet? Ze stond daar, bijna briesend, met
haar armen over elkaar naar ons te kijken. Vond ze echt niet
leuk hoor.'
Rolf zweeg. Hij dacht na over wat Ana hem zei. Was dat de
reden? Ana en hij hadden slechts een onschuldig gesprek gehad,
dat ging over een uitsloverige gozer die ze op de dansvloer zagen en die nauwelijks nog op zijn benen kon staan. Zijn ogen
zaten half dicht, zijn mond stond open en zijn tong stak een

beetje naar buiten. Daar hadden ze het over gehad. Ana had aan Rolf verteld dat die vent bijna wekelijks door zijn hoeven heen zakte en opgetild door twee bewakers met zijn snufferd vooruit de straat op werd gesmeten. Dat was alles geweest waar ze over hadden gepraat, waar ze samen even om hadden moeten lachen.

'Je gelooft me niet, he?'

'Weet niet. Daar kan ze toch niet boos om zijn?'

'Geloof me nou maar. Ik heb het zo vaak gezien. Deze señorita was boos op mij. Boos op ons. Omdat wij samen praatten en lachten.'

In de verte doemde het hotel voor hen op. Rolf wees ernaar en vroeg of dat inderdaad het Majestic was.

'Si.'

Ze stopten en stapten af. Hij bedankte haar en zij wenste hem lachend sterkte. Zij vroeg hem of hij nog eens terug wilde komen. Hij antwoordde dat hij dat misschien nog wel zou doen, maar beiden wisten gelijk dat het er nooit van zou komen.

De twee bewakers die hij passeerde knikten naar Rolf toen hij de lobby van het hotel inliep. De receptie was gesloten. Hij vroeg zich af of Lot nog steeds kwaad zou zijn. Of ze hem eigenlijk wel binnen zou laten en, als zij dat niet zou doen, waar hij dan de nacht zou moeten doorbrengen. Buiten, op straat? Ergens op een smoezelig bankje in Parc Guell?

Met enige vrees in zich, klopte hij twee keer zachtjes en kort op de kamerdeur. Niets. Weer twee keer. Ditmaal iets harder. Weer niets. Hij liet zijn hoofd tegen de deur aan vallen. Zo stond hij daar enige tijd. Denkend over wat hij nu moest doen. Hij had de hoop bijna opgegeven toen ze de deur open deed. Ze was omgekleed. In haar roze nachtgoed. Ze keek hem strak en grimmig aan en hij voelde hoe hij bijna automatisch een verontschuldigende blik opzette. Hij vouwde zijn handen samen, alsof hij wilde bidden, en vroeg haar wat hij gedaan had, wat haar zo overstuur had gemaakt. Ze zweeg, en draaide zich om en liep direct door naar het bed waar ze rechtop in ging zitten. Twijfelend kwam hij achter haar aan.

'Alsjeblieft Lot... ik weet echt niet wat ik fout gedaan heb. Zeg het me. Alsjeblieft.'

Hij vond zelf dat hij te nederig deed. Dat hij meteen al, bij binnenkomst, de schuld op zich nam, terwijl hij niet wist wat hij verkeerd zou hebben gedaan.

'Weet je dat echt niet? Kan je echt niks bedenken?'

Hij schudde vertwijfeld en langzaam zijn hoofd.

'Denk eens na. Denk eens aan wat er in die tent gebeurde.'

Hij vroeg met zachte stem of het kwam doordat hij met de barvrouw had gepraat.

'Bingo,' sprak ze op cynische toon. 'Je weet dus wél wat je fout hebt gedaan.'

Dat wist hij niet. Natuurlijk; Ana was een vrouw, een jonge, aantrekkelijke vrouw. En ja, ze hadden een paar minuten lol gehad met zijn tweeën. Maar het was niet meer dan lol om een voor hem volslagen onbekende man, die bijna door zijn hoeven heen zakte van de alcohol. Dat was alles. Een volkomen onschuldig gesprek met een volkomen vreemde vrouw. Hij begreep niet wat daar fout aan was. Dat wilde hij Charlotte vertellen. Hij moest haar zeggen waar het gesprek over ging. Dat het ging over niets. Over minder nog dan niets. Dat hij niet met Ana had gepraat omdat hij haar leuk vond of wilde versieren, maar dat hij louter met haar in gesprek raakte, omdat ze samen moesten lachen om een vent, die zichzelf totaal niet meer onder controle had.

'Lot,' begon hij. 'Lot, het spijt me zo. Ik... het was onschuldig. Het ging...'

'Ik hoef het niet te weten,' onderbrak zij hem. 'Jij slaapt daar.'

Ze wees resoluut naar de bank waar hij enigszins beteuterd naar keek. Charlotte knipte het licht uit en draaide zich op haar zij. In het schemerdonker kleedde hij zich langzaam uit. Hij wilde nog wat zeggen. Maar wist niet precies wat. En wist ook niet of er iets was dat hij haar nog kon zeggen. Iets dat uit zou maken. Iets dat haar kon doen begrijpen dat er niets aan de hand was geweest. Dat zij niet hoefde te vrezen voor zijn trouw en loyaliteit aan haar. Hij wilde helemaal geen andere vrouw meer. Charlotte, zo wist hij inmiddels, was voor hem alles wat een vrouw moest zijn. Er waren geen andere vrouwen meer voor hem. Er was slechts zij en zij alleen. Dát wilde hij haar vertellen, maar hij wist dat zij het niet wilde horen. Dus zei hij niets en ging in stilte liggen op de bank.

Hij werd als eerste wakker, maar besloot te blijven liggen en net te doen alsof hij nog sliep. Een minuut of twintig later kwam zij omhoog in haar bed, streek even over haar gezicht en liep naar de badkamer. Hij hoorde haar wat rommelen met spulletjes, hij hoorde haar plassen en doortrekken, en uiteindelijk hoorde hij haar weer terugkomen in de kamer. Langzaam kwam hij overeind. Ze keken elkaar aan. Zij kneep haar ogen kortstondig samen. Hij slikte en kuchte.
'Het spijt me, Lot. Het spijt me.'
Ze keek hem strak aan. Dwingend. Haar blik was milder dan de avond ervoor, maar nog altijd niet volledig ontdooid. Ze trok langzaam haar roze nachtgoed uit terwijl haar blik op hem gericht bleef. Hij opende zijn mond en keek hoe zij zich voor hem ontkleedde. Naakt stond zij voor hem. Haar handen in haar zij. Rechterbeen gestrekt. Linkerbeen licht gebogen. Zelfverzekerde houding. Arrogant. Afstandelijk. Hard. Mooi. Magnifico zelfs. Nooit had hij een mooiere vrouw gezien. Hij stond op en liep langzaam op haar af. Hij voelde zijn opwinding toenemen. Hij wilde haar voelen, haar zoenen. Haar strelen. Hij stond vlak voor haar en wilde zijn handen in haar zij leggen. Met een vlakke hand sloeg zij hem plots hard op zijn wang. Hij hield zijn handen uit een reflex voor zijn gezicht. Zij pakte zijn oor vast en trok zijn hoofd naar beneden. Steeds verder. Zo ver zelfs, dat hij door zijn knieën moest zakken. Toen liet ze hem los. Hij voelde aan zijn warm aangelopen oor. Langzaam draaide hij zijn hoofd naar boven. Zij legde een hand onder zijn kin, duwde zijn hoofd nog iets verder omhoog en keek hem dwingend aan.
'De eerste en de laatste keer, Rolf Derks,' zei ze zacht maar beslist. Hij knikte. 'De volgende keer zal ik niet zo mild zijn.'
Even nog hield ze zijn kin vast, toen liet ze los. Hij zag hoe zij naar de badkamer liep. Rolf keek naar beneden en zakte met zijn kont op zijn voeten. Hij ademde zwaar.

Lot was flink losgegaan op de Rambla. Rolf sjouwde vier zware plastic tassen, twee om twee verdeeld over zijn beide armen. Zij droeg een wijde, golvende rok, had hoge hakken aan en een strakke top. Op haar hoofd had ze een zwarte hoed, niet eens tegen de brandende zon, maar omdat het haar stond. De grote D&G zonnebril op haar neus maakte het geheel af: hier liep een dame van stand. Eentje met stijl, met klasse, met geld. Nu pas merkte Rolf hoe vaak zij werd nagekeken. Door kerels, maar even zo vaak door bewonderende vrouwen. Het was niet eens dat Charlotte een buitengewone schoonheid was, het was veel eerder het totaalpakket. De uitstraling van een grote persoonlijkheid. Hier liep iemand die er toe deed. Iemand met wilskracht. Met intelligentie. Met charme.

De hitte die over de stad heen hing als een veel te warme deken, deden de tassen nog zwaarder wegen, maar het deed er niet toe voor Rolf. Hij zag de blikken richting Charlotte en die blikken werden vaak gevolgd door een korte blik richting Rolf. Een blik die verried dat iedereen zag dat hij bij haar hoorde. Dat was voor hem genoeg. Het vulde hem met trots. Want hij wilde bij haar horen, meer dan bij wie ook. En het gaf hem voldoening dat iedereen dat leek te zien.

'Ik heb nog een verrassing voor je. Speciaal voor onze laatste avond in Barcelona,' zei Lot toen ze de Rambla achter zich lieten.

'Een verrassing? Wat dan?'

'Ik heb twee tickets kunnen bemachtigen voor de wedstrijd vanavond: Barca tegen Zaragoza.'

'Echt?'

Ze knikte glimlachend.

'Ik dacht al dat je dat leuk zou vinden.'

'Hoe heb je dat geflikt?'

Ze haalde haar schouders op.

'Ik heb zo mijn connecties.'

In ruil voor de kaartjes moesten ze gezamenlijk nog wel eerst uit eten met Saul Ramos en diens vriendin. Saul was een oude vriend van Charlotte en een nazaat van een familie die steenrijk was geworden in de scheepsbouw. Zelf was hij inmiddels tegen de zeventig en gestopt met werken. Hij deed alleen nog maar dingen die hij zelf leuk vond en veel daarvan hadden te maken met zijn twee grootste liefdes: zijn jacht en FC Barcelona. Een jaar of twintig geleden beleefden Saul en Charlotte samen een kortstondige maar heftige affaire. Sindsdien waren ze in contact gebleven en elke keer als Lot in Spanje was, belde ze hem even op om ergens bij te kletsen.

Ze aten in restaurant El Casal, aan een tafel voor vier. Rolf zat tegenover Charlotte en Saul tegenover zijn vriendin. Saul bleek een lijvige man te zijn, klein van stuk, en met een kaal en bezweet hoofd dat hij eens per vijf minuten afdepte met een servet. Verder had hij een guitig gezicht met bakkebaarden en een wipneus. Kleine oogjes keken de wereld in vanachter laaghangende oogleden en zijn borstelige wenkbrauwen bewogen vrijwel constant op en neer als Saul praatte. Zijn vriendin heette Jana en het enige dat haar onderscheidde van het stereotype domme blondje was haar ravenzwarte haar. Voor de rest was de gelijkenis treffend. Jong. Fotomodellenlichaam. Wulps. Ongeïnteresseerd in conversaties die verder gingen dan haar favoriete kleur of de hipste clubs. Terwijl Jana peinzend met haar vork in de bovenkant van haar hand drukte had Saul het over Amsterdam. Was hij vaak geweest. Zeker vijf keer, dacht hij zo. Had daar ooit eens Betondorp bezocht, omdat Cruijffie daar geboren was. Heilige grond noemde hij het. Leuke stad, dat Amsterdam, maar het kon de vergelijking met Barcelona geenszins weerstaan. Want Saul, dat liet hij al snel blijken, was een op en top Catalaan. Alles daarbuiten was minder. Zeker alles in dat vervloekte Madrid, hij zei het met een wapperende vuist die de lucht doorkliefde. Madrid was door en door rot. Alles daar herinnerde hem aan de duivelse Franco. Zelfs aan zijn eigen achternaam was hij gaan twijfelen, nu er bij dat verdomde Real Madrid een verdediger speelde met dezelfde achternaam als hij. Saul vertelde over zijn familie. Over de scheepsbouw. Over zijn voormalige vrouw die hij vier kinderen had gegeven. Was geen slecht mens, die Joana, dat was het niet. Dat hele huwelijk was gewoon niks voor hem. Al die regels. Dat huiselijke gedoe. Niks voor hem. Hij was veel meer zoals Charlotte.

'Aaahhh,' brulde Saul, 'Bella Charlotte! La mujer de mi vida!'

'Saul!' Lot wuifde zijn opmerking met een wapperende hand van tafel.

'Maar het is zo! Het is zo! Ik vervloek nog altijd de dag dat je bij me weg ging.' Saul draaide zich naar Rolf. 'Hou haar goed bij je. Beter vind je ze niet. Charme en intelligentie, gevangen in een verpakking van schoonheid en omgeven door wolken van elegantie. De dag dat zij mij verliet, was de dag dat ik begon met sterven.' Hij illustreerde zijn woorden door twee handen op zijn hart te drukken en zijn hoofd in zijn nek te gooien. Charlotte nipte glimlachend van haar wijn. Jana keek of haar wimpers goed genoeg krulden in de achterkant van haar lepel.

Rolf voelde ineens een voet in zijn kruis. Lot keek hem van achter haar glas aan terwijl ze haar tong langzaam over haar tanden heen streek. Ze masseerde zijn kruis met haar tenen. Rolf liet haar begaan, terwijl Saul het alweer over de wedstrijd van die avond had. Barca zou gaan winnen, zo wist hij te vertellen, met zeker vijf goals verschil. Rolf hoorde het niet meer en ging op in Charlotte's voetmassage en duivelse blik. Zijn mond kierde iets open. Saul had wel gelijk gehad, toen hij over haar praatte. Charlotte was alles wat een vrouw mooi maakte. Alles wat een vrouw duivelse aantrekkingskracht gaf. Ze speelde met mannen, met mensen, met hem, zelfs in openbare gelegenheden. Opeens stond Saul op.

'We moeten gaan. Olé Barca!' riep hij door het restaurant. Dat mensen omkeken naar die vadsige en luidruchtige man, dat leek hem niet te deren. Vermoedelijk viel het hem niet eens meer op.

Saul kreeg overigens geen gelijk. Barca scoorde weliswaar vijf maal, maar zou niet met vijf goals verschil winnen: Zaragoza scoorde tweemaal. Bij alle Barca-goals sloeg Saul Rolf hard op de schouders, zoende Jana zeker een minuut lang op de mond en pakte Charlotte telkens stevig vast.

Saul liet zijn chauffeur op de terugweg eerst langs het Majestic Hotel rijden en zoende Charlotte hartstochtelijk op de mond bij het afscheid en fluisterde haar wat toe in het Spaans. Rolf wilde een hand geven, maar Saul pakte hem stevig vast en knuffelde

hem. Zwaaiend en schreeuwend uit het raam reden ze weer
weg.

Lot sloeg haar arm om Rolfs middel heen en drukte haar hoofd
tegen zijn schouder aan. Zo liepen ze gearmd het hotel weer
binnen.

'Zijn jij en Saul echt...?' vroeg Rolf twijfelend.

Ze knikte.

'Het is een goede vent. En toen wij nog wat hadden had hij nog
haar en was hij veertig kilo lichter. Hij meende er trouwens
weinig van hoor, die charmeur. Ik ben ondertussen veel te oud
voor hem. Hij is gek op jong.' Ze kuste Rolf op de wang. 'Net
als ik.'

23

Hij stond in de deuropening en keek om zich heen. Charlotte stond achter hem met de sleutels in haar hand. Het huis was van steen. Grijze steen. Bovenop zat een keurig rood puntdak met een netjes gemetselde schoorsteen, eentje die het huisje een lieflijk en enigszins sprookjesachtig uiterlijk gaf, net als de ouderwetse luiken die voor ieder raam zaten.

Rolf stapte de kleine gang door en liep de huiskamer binnen. In het midden van de kamer zat een open haard. Gemetseld met dezelfde grijze stenen als die hij buiten had gezien. Daarvoor stond een bankstel om een houten salontafel heen en boven de open haard hing een indrukwekkend LCD-scherm aan de wand. Links van de kamer, voorbij de eettafel, zat de keuken half verscholen achter een bar waar drie met leer beklede zitkrukken naast stonden. Verder was er nog een volledig ingerichte slaapkamer, een badkamer met een douche en een separate wc. Het hele huisje was smaakvol en met zorg ingericht, zoals het hele complex waar Charlotte woonde met smaak en zorg was aangekleed.

Ze vroeg of hij het wat vond. Rolf knikte langzaam terwijl hij overdacht of hij het werkelijk zou gaan doen. Zij had hem gevraagd of hij niet liever hier wilde gaan wonen in plaats van in zijn kleine en ietwat armoedige woning in Amsterdam - waar zij overigens nog nooit was geweest. Zij wilde het graag. Om hen dichter bij elkaar te brengen. Niet alleen letterlijk, maar meer nog figuurlijk. Zij genoot van zijn aanwezigheid, zo had zij hem verteld, en zij wilde hem vaker om zich heen hebben. Dit leek haar de ideale oplossing. Zo had hij wel degelijk een huis voor zichzelf, maar waren ze toch samen, want het huis stond immers op haar terrein. Achteraan in de tuin, met een verbindingsgang die van het hoofdgebouw naar het tuinhuisje liep. De gang was volledig van glas en stond behoudens de grondspots die iedere drie meter hun licht omhoog lieten schijnen, volkomen leeg.

Huur hoefde ze niet. Geld speelde voor haar immers geen enkele rol en bovendien stond het huisje anders toch maar leeg. Ondertussen kon hij, wanneer hij zelf wilde, gebruik maken van de faciliteiten van haar villa. Hij mocht zwemmen in haar zwembad, kon sporten in haar fitnesszaal, eten uit haar koelkast of een film kijken in haar bioscoopzaal. Er zaten zogezegd louter voordelen aan een verhuizing en nadelen waren er zo op het eerste gezicht nauwelijks te bedenken.

'Natuurlijk is het wat,' zei hij meer tegen zichzelf als tegen haar. 'Natuurlijk is het wat.'

'Dan moet je het maar doen.'

Weer knikte hij, hoewel hij uit alle macht een sterk argument probeerde te bedenken waarmee hij een weigering zou kunnen onderbouwen. Maar in de stilzwijgende minuten die volgden, kon hij er met de beste wil van de wereld geen bedenken. Vanuit zijn ooghoeken zag hij hoe zij, met één elleboog rustend op de bar, een sleutel van haar bos afhaalde en die op de bar legde.

'Dan is die voor jou.'

Hij keek starend naar de sleutel. Hij vond het nogal wat, verhuizen naar haar landgoed. Het zou, en dat was het enige en nogal halfslachtige tegenargument dat hij kon bedenken, nogal wat inbreuk maken op zijn vrijheid. Oké, het was niet hetzelfde als samenwonen, dat zag hij ook wel, maar het zou wel een zekere bevestiging zijn van dat zij bij elkaar hoorden. Zo zou het toch in ieder geval door de buitenwereld worden geïnterpreteerd, veronderstelde hij. Als zij samen immers niets zouden hebben, zou hij natuurlijk nooit kosteloos gebruik mogen maken van haar tuinhuisje en haar faciliteiten. En om eerlijk te zijn wist Rolf niet of hij al klaar was om voor het altijd kritische oog van de wereld te bevestigen dat Charlotte en hij in zekere zin, in welke zin dan ook, bij elkaar hoorden. Met de duim en de wijsvinger van zijn linkerhand pakte hij de sleutel van de bar. Hij zag haar goedkeurend een snel en tevreden knikje geven en liep zonder om te kijken weer naar buiten.

'Ik hoor het wel wanneer je hier gaat intrekken. Maakt mij niet veel uit. Vergeet je huis niet tijdig op te zeggen, kan je een maand aan huur schelen.'

En weg was ze. Rolf achterlatend in het sprookjesachtige, grijze huisje dat nu ineens het zijne scheen te zijn, zonder dat hij 'ja' had gezegd. Het in gedachten oppakken van de sleutel was voor haar blijkbaar bevestiging genoeg.

De keuken had nog een achterdeur, zo zag hij ineens. De sleutel stak in het slot. Daarachter was een kleine tuin, over de breedte van het huis en naar schatting een meter of tien diep. Voornamelijk kort gemaaid gras, wat struiken aan de zij- en achterkant en een klein terras waarop wat stoelen stonden, die op hun voorpoten steunden en met de voorkant van de rugleuning tegen de tafel aanrustten. Rolf stond midden in de tuin. Vogels tjilpten. Het viel hem op dat dat al was wat hij hoorde. Er waren geen langsrazende auto's. Geen paraderende voorbijgangers. Geen spelende kinderen. Geen sirenes. Amsterdam leek een andere wereld te zijn. Een wereld die hem werkeloos en met een huurschuld op de trein had gezet, terwijl deze nieuwe wereld hem met een gouden koets van het station had opgepikt.

24

Ze zaten samen in de bioscoopzaal. Rolf had zijn hoofd op Charlotte's schoot gelegd. Zij aaide hem over zijn wang, haast moederlijk. Er draaide een film. Een soort van zoetsappige, romantische komedie. Een typische Hugh Grant-film, maar dan zonder Hugh Grant. Er speelde een gozer in die Rolf wel eens eerder had gezien. Met bruin, krullend haar. Beetje achterover gekamd. En er zat een grietje in, dat hij niet kende. Blond. Jong. Leuk ding wel. Het was zo'n film waarin die twee wat kregen waarna ze met bonje uit elkaar zouden gaan. Uiteindelijk, al was de film nu nog niet zover, zou het allemaal wel weer goed komen en zouden ze voor eeuwig bij elkaar blijven. Of in ieder geval tot aan de aftiteling.

Het grootste deel van de film ging langs Rolf heen. Eerder die dag was hij bij zijn ouders geweest. Had verteld over zijn nieuwe baan, niet die van beroepsminnaar, maar die van sportschoolhouder. Dat leek hem een meer geschikte functie om met zijn ouders te delen. Evenzogoed vond zijn vader het maar niks. Wat dat nou eigenlijk voorstelde: sportschoolhouder? Beetje huppelende vrouwen met obesitas begeleiden. En wat moest Rolf dan doen? Beetje die dikke zeugen aanmoedigen? Beetje voordoen hoe je op een loopband moest staan? Kom zeg, dat was toch geen eerzaam beroep. Echte kerels werkten met hun handen. Zoals hij zelf deed. Of zoals zijn eigen vader had gedaan. Of Rolf wel wist dat zijn opa nog aan de Coentunnel had gewerkt? En in de oorlog, op die fiets zonder banden, dat zijn opa daarop helemaal naar Friesland was gegaan om een grote zak met groenten te halen. Wist Rolf dat allemaal wel?

Ja. Rolf wist dat allemaal wel. 'Maar de tijden zijn veranderd, pa,' wierp Rolf tegen. Er was geen oorlog meer en échte mannen werkten niet alleen meer met hun handen. Bovendien, zo zei Rolf, had hij een woning aangeboden gekregen. Een woning op het landgoed van zijn werkgeefster. Lekker dichtbij het hotel en de sportschool. Kon ie in 't Gooi gaan wonen. Mocht hij lekker zwemmen wanneer het hem uitkwam, in de sauna gaan zitten, of hardlopen in die bossen daar, gewoon, als ie daar zin in had.

'Dus je gaat wonen op het landgoed van je bazinnetje?' vroeg zijn vader fnuikend. 'Neuk je haar of zo?'

'Natuurlijk niet,' loog Rolf. 'Natuurlijk niet. Ze is bijna net zo oud als jij, pa.'

Toch bleef zijn vader bij zijn standpunt: geen baan voor een vent en bovendien was het bespottelijk om in een hutje op het terrein van je bazin te gaan wonen. 'Bespottelijk!'

Charlotte had Rolfs verhaal aangehoord en haar schouders opgehaald.

'Maakt jou dat nou uit? Ouders doen er helemaal niet toe. Die zetten je op de wereld, geven je te eten tot je groot genoeg bent en dan moet je het zelf maar uitzoeken. Dat klinkt cynischer dan dat ik het bedoel. Het ís gewoon zo. Je moet je eigen beslissingen nemen. Het is jóuw leven en jíj moet het inrichten. Niet je vader en ook niet je moeder. Goede ouders maken je daarvan bewust. Neem nu de mijne: als het aan hen had gelegen was ik nooit met mijn eerste man Dimitris getrouwd. En weet je waarom ze dat niet wilden? Uit eigenbelang. Ze wilden niet dat hun dochter zou gaan emigreren want ze wilden me niet missen. En daar had ik dan naar moeten luisteren?'

'Uiteindelijk ging het wel mis.'

'Het huwelijk bedoel je? Tja, het is maar hoe je het bekijkt. Hij bleek een nicht te zijn. Dan wordt het natuurlijk lastig voor een vrouw. Maar ik zie het niet als een mislukking hoor. Ik was voordat ik ging trouwen een eenvoudig meisje uit Amsterdam, en na een paar heerlijke, luie, zonnige jaren in Griekenland en een vriendelijk verlopen scheiding was ik opeens een gefortuneerde vrouw die een huis kocht in 't Gooi. Ik zie dat dan niet als een mislukking.'

Rolf moest glimlachen.

'Zo kun je het ook bekijken natuurlijk.'

'Zo bekijk ik 't ook. En mijn ouders waren er op tegen. Kun je nagaan. Als ik naar ze had geluisterd, zoals een lieve en gehoorzame dochter misschien wel had moeten doen, dan was ik nu niet met jou een film aan het kijken in de bioscoopzaal van mijn eigen huis. Die band tussen ouders en kinderen, dat is gewoon overschat. Liefde moet spontaan ontstaan, niet omdat je toevallig ergens geboren bent. Daarom heb ik zelf ook nooit kinderen gewild. Je krijgt er niets voor terug. Zie mijn zus. Darla ziet Lars ook bijna nooit.'

'En dan zeg jij net nog dat je het niet cynisch bedoelde.'

'Nou ja. Ik vind het ook niet echt cynisch. Kinderen nemen is net zoiets als alle andere dingen die je in je leven doet: je moet de voors en tegens goed tegen elkaar afwegen. Dat heb ik gedaan toen ik met Dimitris ging trouwen en dat deed ik later toen Pieter me vroeg ook weer. Gewoon alle voor- en nadelen bekijken en op basis daarvan maak je dan een keuze. Heb ik ook gedaan toen ik nadacht over kinderen. En behalve het feit dat ik kleine kinderen op zich heel leuk vind, zag ik weinig voordelen. Dan maar niet.'

'Heb je bij mij ook de voordelen en de nadelen tegen elkaar afgewogen?' vroeg Rolf aan Charlotte.

'Zeker,' glimlachte ze. 'En jij kwam er verdomd goed vanaf.'

'Gelukkig maar. Wat waren de voordelen dan?'

'Je vist naar complimenten. Wat wil je horen? Dat jonge lichaam van je.'

'En verder?'

'Nou, dat is al heel wat toch?'

'Alleen een jong lichaam?'

'Ach, ik geniet van je gezelschap, Rolf. Je houdt me jong. Je bent er als ik je nodig heb en we kunnen goed praten. Dat is al heel wat hoor.'

'En de nadelen?'

'Er zijn altijd nadelen.'

'Noem er eens één.'

'Dat je maar blijft doorvragen.'

Rolf moest lachen. Ze boog zich voorover en zoende hem terwijl haar vingers over zijn borst heen gleden.

'Je bent een schatje, Rolf Derks. Ik mag jou wel. Vergeet die ouders van je nou maar. Je hebt mij nu. Ik zal voor je zorgen.'

25

'Die lijkt me wel wat.'

Lot wees met haar vinger op een afbeelding van een tribal tatoeage in één van de vele boeken met voorbeelden die bij de
tatoeëerder lagen. Het was een tekening die half over de schouder, half op de bovenarm zou worden getatoeëerd.

'En dan kan je hier, ´ging ze verder, 'in het midden van dat ronde stuk mijn naam laten zetten. Wat vind je daarvan?'

'Eh, ja… wel mooi, denk ik.'

Rolf keek peinzend naar het boek op haar schoot en vroeg zich
af waar hij zich nu toch weer tot had laten verleiden. Het leek
haar zo mooi, zo puur, zo opwindend zelfs, had ze gezegd, als
hij een tatoeage zou nemen met haar naam erin. Aanvankelijk
zei hij dat hem dat niet zo'n goed idee leek, waarop zij natuurlijk wilde weten waarom dan niet.

Hij hield wel van tatoeages, dat was het probleem niet, maar hij
was er niet zo zeker van dat hij haar naam wilde laten tatoeëren.
Snapte ze niet. Ze zei dat als hij tatoeages leuk vond en haar
ook leuk vond, zij het probleem niet zo zag.

'Maar was als het mis gaat tussen ons?' vroeg hij haar. 'Dan
loop ik voor eeuwig met de naam van mijn ex op mijn arm.'

Zij vroeg hem of hij haar misschien iets wilde vertellen. Of hij
het soms niet goed vond gaan tussen hen. Of hij niet gelukkig
was bij haar. Hij haastte zich te zeggen dat hij het juist prima
vond gaan. Dat hij heel erg blij was met haar en van iedere minuut die ze samen doorbrachten genoot. Maar ja, je kon nooit
weten hoe het in de toekomst zou gaan natuurlijk.

Hij vroeg: 'Jij laat toch ook geen tatoeage met mijn naam zetten?'

Zelf vond hij dat een sterk argument, waar zij weinig tegenin zou kunnen brengen. Zij was er echter niet van onder de indruk. Tatoeages, zo vond zij, hoorden niet bij Gooische Vrouwen. Eigenlijk hoorden ze helemaal niet bij vrouwen met een zekere status. Tatoeages hoorden bij bouwvakkers, bij jonge kerels, bij sporters en artiesten. En bij hoeren uit het Oostblok, die ook. Dat was het wel zo'n beetje. Vrouwen die niet uit 't Gooi kwamen, konden nog wel wegkomen met een kleine tekening op de enkel of op de pols, maar als het meer werd dan dat, dan was het per definitie ordinair.

Voor échte Gooische Vrouwen golden andere regels. Die versierden zichzelf met dure sieraden, deftige merkkleding, creatieve kapsels en kunstnagels, maar niet met inkt en, voor het geval hij het nog niet wist, ook niet met piercings.

Uiteindelijk besloten ze, in overleg, dat hij een tribal zou nemen, met de naam 'Lot' erin, omdat haar volledige naam wel wat lang was, en moeilijker te verwerken zou zijn in een tatoeage.

En dus zaten ze daar. Gezamenlijk. In een tattooshop in Hilversum. Bladerend in één van de tientallen voorbeeldboeken.

'Ja, ik denk dat ie wel mooi zal staan,' mompelde Rolf.

'Links of rechts?'

Rolf keek vragend.

'Op je linkerarm of op je rechterarm?'

'Rechts. Of nee, links. Ja, links denk ik. Wat vind jij?'

Ze haalde haar schouders op.

'Sommige dingen mag je zelf bedenken, schat,' en ze leunde met haar hoofd kortstondig op zijn schouder.

'Dan wordt het dus links.'

Ze hadden een afspraak gemaakt om de tatoeage de volgende dag te laten zetten en waren weer onderweg terug naar huis in Charlotte's wagen, toen Rolfs telefoon trilde, ten teken dat hij een whatsapp had ontvangen. Het bericht kwam van Mariska, zijn vroegere vriendin.

'Thanks. Ik heb het aan haar doorgegeven.'

Hij bekeek het bericht en stopte de telefoon terug in zijn zak. Lot vroeg wie het was. Rolf antwoordde: 'Mariska'.

Het volgende moment hing hij voorover in zijn autogordels, met zijn vlakke hand tegen het kille raam gedrukt: Charlotte trapte uit volle macht op de rem. Toen ze tot stilstand waren gekomen en Rolf weer achterover in zijn stoel terug veerde, gaf ze hem een klap in zijn gezicht.

'Au! Godver.' Hij greep naar zijn wang. 'Waar is dat voor?'

'Ga jij nog met die snol om?' bitste Charlotte zijn kant op.

'Snol? Maris? Waar heb je het over?'

'Heb jij contact met je ex? Met dat schaap?'

'Nee. Helemaal niet. Ik heb haar en haar ouders gisteren per whatsapp alleen gefeliciteerd met de 50ᵉ verjaardag van haar moeder. Daar bedankte ze me nu voor. Dat is alles.'

'Dat is alles? Dat is alles? Godverdomme, lul. Je bent blijkbaar nog zo met je ex bezig dat je zelfs nog denkt aan de verjaardag van haar moeder! Je bent mijn vent, míjn vent, en je hebt geen contact met je ex. Niet meer. Nooit meer, hoor je me: nooit meer!'

Ze trok hem aan zijn oor.

'Au, trut,' hij trok zich los en hield een hand op zijn oor.

Zij stapte uit en liep om de auto heen. Iemand achter hen toeterde. Ze stak haar middelvinger naar de toeteraar op, trok Rolfs deur open en rukte hem uit de auto. Ze deed het met zoveel woede, zoveel venijn, dat hij bijna op de grond belandde. Toen hij voor haar stond, gaf ze hem een knietje in zijn kruis. Hij kromp ineen, zij pakte zijn hoofd aan zijn haar vast en zei op rustige maar besliste toon: 'Dit is de tweede keer dat je achter mijn rug om met andere vrouwen aanpapt, Rolf Derks. Tevens de laatste keer. Ik verbied je om ooit nog contact te hebben met haar.'

Ze liet hem los en liep terug om de auto heen. Hij rechtte zijn rug en wilde een weerwoord geven, maar zij was hem te vlug af en voegde nog toe: 'De rest loop je maar naar huis.'

Met piepende banden scheurde ze een paar seconden later weg, Rolf verbijsterd achterlatend.

Een klein uur later kwam hij op haar landgoed aan. De hele weg terug had hij getwijfeld of hij nu wel of niet meteen naar haar toe zou moeten gaan. Om het uit te praten. Hij zag de cabriolet voor het huis staan, naast zijn eigen Golf. Ze was dus in ieder geval thuis. Hij stak een sigaret op en leunde tegen een boom terwijl hij overdacht wat er nou eigenlijk gebeurd was. Hij had geen idee. Werkelijk geen idee. In al zijn onschuld had hij Mariska en haar moeder gefeliciteerd met een berichtje. Meer was het niet. Verder kon hij zich niet eens herinneren wanneer hij Mariska voor het laatst had gezien, maar het moest zeker langer geleden zijn dan de eerste ontmoeting met Charlotte. Hij besloot toch maar naar binnen te gaan en haar op te zoeken.

Ze lag in het zwembad. Trok net een baantje toen hij binnen kwam. Ze zag hoe hij ging zitten op een stoel langs de rand. Voorover gebogen. Met zijn handen gevouwen en zijn onderarmen op zijn dijbenen. Hij keek hoe zij stoïcijns door zwom, zonder verder ook maar één keer naar hem om te kijken.

Er verstreek zeker een kwartier, twintig minuten voordat zij het water uitkwam.

Rolf gaf haar een handdoek aan en rolde die om haar heen.

'Het spijt me,' fluisterde hij. 'Het zal niet meer gebeuren.'

Net als die keer in Barcelona vond hij eigenlijk dat hij niets fout had gedaan. Maar ook net als toen, nam hij de schuld op zich om de confrontatie te ontlopen. Hij wist weliswaar voor zichzelf dat haar reactie ver, heel ver, buiten de perken was geweest, maar hij had geen idee hoe haatdragend zij zou zijn of hoe lang zij boos zou blijven.

'Het is gewoon,' begon ze,' hoe moet ik het zeggen... Ik ben gewoon op jou gesteld, Rolf Derks, en ik wil je niet kwijt. Het is je ex, weet je, niet zomaar iemand, maar je éx. Ik was gewoon bang. Bang dat jij nog gevoelens voor haar zou hebben, bang dat je naar haar terug zou willen. Zij is jong, weet je, en ik niet meer.'

Het was de eerste keer in al die tijd dat zij zich kwetsbaar op had gesteld. Dat ze haar masker van zelfverzekerdheid af had gezet en haar gevoelens toonde, haar twijfels. Twijfels over zichzelf. Haar leeftijd. Haar relatie met hem. Het deed Rolf wat.

Haar emotie, haar twijfel, het raakte hem. Het was alsof hij voor het eerst in al die tijd een kijkje in haar ziel had mogen nemen, alsof hij voor de eerste keer zag wie zij werkelijk was. De onzekerheid van de welgestelde Gooische Vrouw, het bestond, het leefde, hij zag het nu, voor de allereerste keer.

Een grote kale kop, een enorme grijs wordende sik, een ouderwets ziekenfondsbrilletje en armen als een schildersdoek: zo zag Harrie er ongeveer uit. Harrie de tatoeëerder. Na een kleine drie uur was hij klaar met Rolf. Boven op zijn linkerschouder begon de tribal en deze gleed langs zijn linkerbovenarm naar beneden. Bovenaan in het hart, net onder de schouder stond 'Lot' getatoeëerd in het midden van een cirkelvorm, de letters meelopend met de ronding. Harrie plakte zijn nieuwste creatie af met wat verband, legde Rolf wat uit over het vermijden van zon de komende weken en overhandigde zijn klant een tube zalf die hij er de komende dagen met regelmaat op moest smeren.
Charlotte, die ondertussen wel twintig foto's had geknipt, rekende af, en samen verlieten Rolf en Lot de tattooshop. Hand in hand. Zij tegen hem aan. Grappend. Lachend. Zij was zichzelf weer. En het was alsof gisteren nooit was gebeurd.

26

Hij zat die middag op een terras op de Dam in Zaandam, wachtend op Angela. Een goede plek om af te spreken, zo hadden ze in overleg besloten. Ongeveer halverwege Amsterdam en Alkmaar, voor beiden een goed te overbruggen afstand. Een voorzichtig zonnetje liet zijn warmtestralen door het langzaam openbrekende wolkendek heen kletteren. Rolf keek op zijn mobiele telefoon en zag dat hij te vroeg was. Zeker twintig minuten. Bij het vriendelijke meisje dat vroeg of hij wat wilde drinken bestelde hij een glas bier. Ze knikte en liep naar binnen om zijn bestelling te halen. Het was niet bijster druk op het terras. Er liepen hier en daar wat plukjes mensen babbelend langs in de richting van de dichtbij gelegen winkelstraat.

Rolf voelde zich aanvankelijk, tijdens de autorit, niet helemaal op zijn gemak. Hij dacht aan de woede-uitbarstingen van Lot. Als zij zo reageerde op een simpel whatsapp contact met Mariska, of op onschuldige kroegpraat met een Spaanse barvrouw, hoe zou zij dan reageren op een stiekeme afspraak met een totaal onbekende vrouw? Eentje nog wel, die in de leeftijdscategorie viel waar hij zich zo opmerkelijk veel toe aangetrokken voelde? Hij had zich er overheen gezet. De kans dat Lot er ooit achter zou komen, hier ver weg van 't Gooi, was immers niet bijster groot.

Zijn gedachten bleven echter gegijzeld door haar uitbarsting. Hij kon het slecht plaatsen. Althans, bij haar. Bij Lot. Hij kende haar zo niet. Een aantal keren had hij terug moeten denken aan vroeger, aan thuis. Zijn vader had zich in die tijd fysiek nog wel eens laten gelden. Niet dat hij zijn gezin structureel mishandelde, zo erg was het allemaal niet, maar hij had Rolf en zijn moeder bij tijd en wijle wel eens geslagen.

Ooit, hij had het nooit kunnen vergeten, had pa met volle vuist zijn vrouw neergeslagen. Rolf was destijds hooguit een jaar of dertien, veertien geweest. De aanleiding was een zoveelste ruzie over geld. Zijn moeder had weer eens inkopen gedaan en was thuis gekomen met nieuwe jassen, broeken, shirts, rokken, sieraden en meer van dat al. Zijn vader had alle tassen omgekiept tot hij de bon had gevonden. Meer dan 300 gulden! Hij ontstak in woede. Of zij wel goed bij haar hoofd was! Of die hoer wel wist hoe hard hij moest werken voor 300 gulden! Of ze godverdomme wel eens nadacht voordat ze zíjn geld uitgaf! Rolfs moeder deinsde automatisch een paar stappen achteruit, maar het hielp niet. Met een gebalde vuist raakte hij haar vol op de kin. Ze klapte met haar hoofd tegen de vensterbank en de gil die ze slaakte hoorde Rolf in de nachten die volgden steeds weer in zijn slaap.

Het was onzekerheid geweest, zo wist Rolf. Onzekerheid en twijfel over de toekomst. Het was een gevoel van machteloosheid. Hij was verbaal niet in staat om zijn vrouw duidelijk te maken dat het gezin financiële zorgen had en dus liet hij het haar hardhandig weten.

Twijfel. Onzekerheid. Onmacht. Nimmer had hij het gezien bij Charlotte. Tot het korte gesprek met Ana en het bericht van Mariska. Toen was een verscholen deel van haar wezen ineens naar boven komen drijven. Een deel dat voor de buitenwereld altijd verborgen had moeten blijven, want Charlotte gunde zichzelf geen twijfel en al helemaal geen onmacht. Zij was een controlfreak, tot in het extreme. Alles in haar leven had zij onder controle. Haar werk. Haar geld. Haar uiterlijk. Haar Rolf. Alles.

Het contact, hoe oppervlakkig dan ook, dat hij had met een andere vrouw, was bij haar als een bom binnengekomen. En zeker het contact met Mariska, zijn ex. Het was het moment waarop zij besefte dat er dingen waren in zijn leven waar zij niets van wist. Een factor, een element, waar zij geen controle over bleek te hebben. Waar zij het bestaan niet eens van wist. Hij had het geenszins bewust of opzettelijk verzwegen, zeker niet, hij had niet eens overwogen om het haar te vertellen, omdat het hem te klein leek, te oppervlakkig. Het was voor hem zo nietig dat het niet eens in hem op was gekomen.

Hij keek nogmaals op zijn mobiel. Er was al een half uur verstreken. Angela was laat, tien minuten te laat. Hij bestelde nog een biertje, stak een sigaret op, en zakte wat onderuit. De wolken trokken verder open en de zon had inmiddels een vrije doorgang. Hij pielde wat op zijn telefoon, terwijl hij zijn blik van tijd tot tijd over het plein heen liet glijden om te zien of hij Angela zag. Tevergeefs.

Langzaam begon hij zich af te vragen of hij niet voor niets was gekomen. Dat hoorde je wel vaker: zat er iemand hoopvol en nerveus te wachten in een kroeg of restaurant op een blind date die nooit op zou komen dagen. Stond er iemand ergens verder achter een dikke boom in zichzelf te lachen om de sukkel die zich vergeefs leuk had aangekleed, een extra klodder gel in zijn haar had gedaan, zijn tanden langer dan normaal had gepoetst en een kauwgompje had genomen, om een goede indruk te maken op iemand die hij of zij nooit zou ontmoeten.

Misschien was Angela niet eens een vrouw. Misschien was Angela wel één van die lachende schooljongens die daar verderop over het plein liepen, met tassen vol boeken over de grond slepend achter hen aan. Hadden zij toch een lol gehad: nepaccount aangemaakt, sexy foto's van het internet geplukt en opgestuurd, en dat allemaal om een hitsige sukkel die op rijpere vrouwen viel zo nieuwsgierig te maken dat hij helemaal voor lul naar Zaandam zou rijden om daar smachtend en hoopvol te gaan wachten op vrouw die nooit zou komen, een vrouw zelfs, die niet eens bestond.

Rolf zuchtte en checkte voor de zekerheid zijn hotmail op zijn mobiel. Misschien had hij het wel verkeerd. Misschien hadden ze morgen pas afgesproken, of volgende week. Misschien zat hij wel op het verkeerde terras en zat zij een paar terrassen verderop te kijken waar híj bleef. Niets van dat alles. Rolf was op de afgesproken dag, op de afgesproken plaats, op het afgesproken tijdstip, zij het een dikke drie kwartier over tijd.

Het vriendelijke meisje sleurde hem uit zijn gedachten en vroeg of hij nog wat anders wilde drinken, maar hij schudde zijn hoofd. Het was genoeg geweest. Rolf wilde alleen nog maar afrekenen en weggaan, en dat deed hij dan ook.

Terugrijdend naar huis begon Rolf te beseffen dat het hem niet eens veel uitmaakte. Dat dit misschien nog wel beter was. Zo kwam hij niet in de situatie dat hij Charlotte zou besodemieteren. En dat, zo leek hem, was beter voor zijn algehele gezondheid.

De waarheid rond het niet op komen dagen van Angela lag anders, zo merkte hij toen hij die avond zijn hotmail-account opende. Hij was helemaal niet in de maling genomen door giechelende schooljongens en hij was ook niet op het verkeerde terras geweest.

Lieve Rolf,

Je zal boos op me zijn en misschien is dat nog wel zacht uitgedrukt. En ik kan het je niet kwalijk nemen. Ik was er niet. Geen idee of je me wilt geloven maar sorry… een oprecht sorry… Ik was vast van plan om wel te komen, ik ben geen neppert. Alleen, er is iets dat ik je moet vertellen. Iets dat ik je misschien al veel eerder had moeten vertellen, dan had je zelf kunnen kiezen. Ik kon het niet, ik kon het je niet vertellen. De foto's die ik je stuurde zijn van lang geleden. Vanuit een vorig leven, lijkt het wel.

Want ik ben ziek. Gediagnosticeerd met invasief ductaal carcinoom, een vorm van borstkanker. Ze hebben onder meer mijn linkerborst verwijderd. Weggehaald. Achteloos in de prullenbak gesodemieterd. Daarna hebben ze me bestraald. Het heeft allemaal niet mogen helpen. Uitzaaiingen naar botten, lever, naar alles.

'U bent uitbehandeld, mevrouw. U hoeft niet meer terug te komen.'

Joehoe, eindelijk, eindelijk klaar met al die prikken, die pillen, die operaties, die bestralingen, die onderzoeken, die behandelingen. Jippie!

'O ja, mevrouw, nog één ding: u gaat wel dood.'

Het is niet meer te stoppen, Rolf. Wanneer weet ik nog niet, maar ik heb een blind date met de dood. Een date waarvoor ik dit keer wel op zal komen draven.

Misschien had ik het nooit mogen doen, jou zo misleiden. Had ik het meteen moeten vertellen. Maar weet je wat het is, een jaar of anderhalf geleden had ik een gek plekje op mijn borst. Leek wel een stuk sinaasappelschil of zoiets. Deed geen pijn, maar toch maar een keer naar de dokter ermee. Vanaf dat moment was er geen houden meer aan. Het ene onderzoek na het andere. De ene dokter die iets onbegrijpelijks begrijpelijk probeerde te maken na de andere. Het leek wel alsof ik non-stop duizend rondjes maakte in een achtbaan: het ging maar door en het ging maar door. Tijd om bij te komen was er niet.

Ik loog ook tegen je over mijn werk. Ik was wel Human Resource Manager, maar ik zit al een hele tijd permanent in de ziektewet. Alles draait om de kanker, mijn hele leven. Bij alles wat ik doe staat mijn ziekte voorop, zeker sinds de artsen mij vertelden dat ik niet meer lang te leven heb. De enige ontsnapping die ik had was het internet. Ik denk dat het verveling was waardoor ik op die datingsite terecht kwam. Jij gaf me aandacht, aandacht van een man, dat was waar ik naar verlangde. Je vond me mooi, sexy. Dat was lang geleden. Ongecompliceerd praten over seks. Vrijuit praten, zonder dat het woord kanker viel. Ik kon me niet herinneren wanneer dat voor het laatst was gebeurd.

Het sleurde me mee, jij sleurde me mee. Ik had al zolang geen man meer gehad. Ik had al zolang niet meer gepraat over andere dingen dan die ziekte. Maar ik had het je moeten vertellen, voordat we samen afspraken. Het spijt mij, het spijt mij oprecht dat het zo is gelopen. Ik wil je alleen, en dat meen ik oprecht, bedanken voor ons contact. Omdat ik daardoor, voor heel even, gewoon weer vrouw kon zijn.

Ik dank je, met heel mijn hart. Vond het fijn je gekend te hebben, al was het veel te kort.

XX Ang.

Rolf staarde voor zich uit. Mond half open. Ogen vochtig. Maag onrustig. Hij had AngelaAlkmaar nooit ontmoet. Had haar stem nooit gehoord en haar geur nooit geroken. Hij wist niet naar welke muziek ze 's avonds luisterde. Hij had geen idee of ze boeken las, wanneer ze jarig was, hoe haar moeder heette, wat voor auto ze reed of wat haar favoriete drankje was. Hij kon niet zeggen in welke landen ze ooit was geweest, wie haar beste vriendin was, van welk eten ze hield en of ze moedervlekken op vreemde plaatsen had. Hij wist niet of ze melk lustte, kuiltjes in haar wangen had, aan sport deed, en of ze haar brood kocht in de Albert Heijn of bij de warme bakker. Hij had geen idee door wie ze ontmaagd was, welke diploma's ze had, wat haar lievelingskleur was, of ze links was of rechts, vaak dronken was geweest en of ze rookte of ooit gerookt had. Hij kon ook niet vertellen of ze vroeger een hond had gehad, of een kat, konijn, cavia, schildpad, een schele parkiet of een godvergeten wandelende tak.
Hij wist niets van dat alles. Hij wist niets van haar. Hij wist niets van het leven van AngelaAlkmaar. Het enige dat hij wist was dat het bijna voorbij was. En dat benam hem de adem.

27

Rosa heette ze. Rosa kwam, zo had Rolf vernomen van Lot, van origine uit Argentinië. Ze praatte dan ook met een accent dat sterk deed denken aan dat van Prinses Maxima. Haar Willem-Alexander heette Albert en Albert was een groot deel van de tijd voor zaken in Zuid-Amerika. Brazilië, Colombia, Peru, Venezuela en natuurlijk Argentinië, waar hij op een mooie en zonnige najaarsdag Rosa ergens had opgepikt. Ze serveerde in het restaurant van zijn hotel in Buenos Aires waar hij graag Chimichurri of Empanadas at. Hij viel, zo zei hij aanvankelijk, op de mooiste en grootste bruine ogen die hij ooit had gezien. Of ze eens met hem mee wilde, ergens wat eten of drinken, misschien kon ze hem de tango leren. Later, op zijn hotelkamer, leerde ze hem nog veel meer dan dat. Ze leerde hem dingen die hij met zijn toenmalige vrouw Greta nog nooit had gedaan, en, vanwege van haar omvang, ook nooit zou kunnen doen.

Een week of twee later, toen hij voor een paar dagen terug was in 't Gooi, meldde hij koeltjes dat hij een ander had en graag van Greta af wilde.

De scheiding was pijnlijk en slopend. Keer op keer stonden ze voor de rechter die zuchtend voor de zoveelste maal meldde dat ze als volwassen mensen ook zelf met elkaar konden gaan praten. De hele affaire kostte hem miljoenen. Miljoenen, waar zijn vrouw Greta volgens hem geen ene godverdomde klootzak voor had hoeven doen, behalve van tijd tot tijd op haar rug te liggen en twee kinderen te baren. Hij vond het wel erg snel en makkelijk verdiend zo, die miljoenen.

Niet lang na de definitieve scheiding was Rosa bij hem op zijn Blaricumse landgoed ingetrokken en nog een paar weken later zette Albert zijn handtekening onder een nieuwe huwelijksovereenkomst.

Rosa wist best dat Albert ook haar niet voor eeuwig trouw zou blijven. In Zuid-Amerika neukte hij zich vermoedelijk een ziekte met jonge serveersters, secretaresses, receptionistes en andere vrouwelijke begintwintigers. Zij was inmiddels al begin veertig en dus begon Albert alweer om zich heen te kijken. De grootste en mooiste bruine ogen die hij ooit had gezien, deden hem zo langzamerhand een stuk minder dan de frisse voorgevel van een 23-jarige schone. Het maakte Rosa niet heel erg veel uit. Zij genoot van het rijke leven. Iedere dag weer laafde ze zich aan de luxe van het landgoed, de bedienden, de kleding, het shoppen, en alles waar ze zin in had. En met regelmaat had ze zin in jonge kerels.

Daarom was ze ook hier. Charlotte had het idee dat zij Rolf wel leuk zou vinden. Gewoon voor één keer. Eén avond, niks meer of minder dan dat, no strings attached. In tegenstelling tot die keer met Carmen had Rolf dit keer weinig weerstand geboden. Lot had Rosa omschreven als een aantrekkelijke vrouw, en daar had ze geen ongelijk in gehad. Rosa was niet heel groot, zoals een ware Zuid-Amerikaanse, maar had een waanzinnig slank en afgetraind lichaam. Ze had lang zwart haar, met talloze krullen en, zoals Albert eerder reeds was opgevallen, buitengewoon grote, donkerbruine ogen. Een alleszins prachtige vrouw.

Eén detail was wel anders dan toen die keer met Carmen: Lot wilde er dit keer graag bij zijn. Even was Rolfs wenkbrauw omhoog gegaan, maar zij verduidelijkte: 'Het lijkt me opwindend om jou met haar bezig te zien.'

Hij staarde twijfelend voor zich uit. Neuken voor een publiek, dat was nou niet echt iets waar hij ooit ambities toe had gehad.

Maar zij stond erop: 'Niet zo preuts, lief. Rosa is één van mijn beste vriendinnen, en er is niets aan jou dat ik nog niet gezien heb. Het is niet alsof ik je vraag ten overstaan van heel Blaricum te gaan liggen kezen.'

Hij had ondertussen wel door dat het een machtsspel was, al die verzoeken waar hij aan moest voldoen. Meer nog dan seks, was Lot er op uit om hem zoveel mogelijk te laten doen wat hij eigenlijk misschien niet eens wilde, maar uit een soort van gehoorzaamheid naar haar toe, toch altijd wel weer deed. Hij moest ook eerlijk bekennen: een dominante vrouw, wond hem op. Uiteindelijk was hij dus ook deze keer overstag gegaan en waren ze gedrieën naar kamer 618 gegaan.

Ook Rosa hield wel van een vorm van dominantie, zo bleek al snel. Voordat hij het goed en wel door had, lag hij met polsen en enkels vastgebonden op het bed, uiteraard volledig ontkleed. Niet dat hij het erg vond, want Rosa ging helemaal los op haar jongere minnaar. Onder het wakend oog van Charlotte, hadden ze meerdere malen seks en stuwde de Zuid-Amerikaanse hem telkens weer naar een spetterend orgasme.

Na afloop stond ze koeltjes op, en keuvelde, alsof er niets gebeurd was en alsof Rolf niet nog altijd vastgebonden en met haar slip in zijn mond in het bed lag, met Charlotte over dingen die met de actuele stand van zaken in hotelkamer 618 werkelijk niets van doen hadden. Een paar keer probeerde Rolf geluid te maken, maar dat lukte hem niet bijster goed. Uiteindelijk was Rosa naast hem aan zijn linkerkant gaan zitten en Charlotte rechts van hem. Ze hadden de slip uit zijn mond gehaald en rookten een sigaret die ze af en toe ook in zijn mond staken. Hij vroeg nog een paar keer wanneer ze hem los zouden maken, maar toen ze daar bij herhaling geen antwoord op gaven, hield hij erover op. Hij realiseerde zich dat het ook niet bepaald een straf was om hier vastgebonden tussen twee mooie vrouwen in te liggen. Het was iets waar hij vroeger wilde fantasieën over had gehad en wat nu, dankzij Lot, werkelijkheid was geworden.

Nadat Rosa vertrokken was, werd het Rolf al snel duidelijk waarom zij hem nog niet bevrijd hadden: Lot was inderdaad opgewonden geraakt van de aanblik van haar jonge vriend die bereden werd door één van haar beste vriendinnen en wilde zelf ook nog even profiteren van het feit dat hij daar geboeid en naakt op dat bed lag. En dus zag Rolf even later opnieuw een vrouw boven op hem zitten. Dit keer duurde het niet heel lang, minuut of twintig, vijfentwintig, hooguit.

Na afloop vroeg Charlotte nog wel of Rosa een beetje bevallen was. Politiek correct antwoordde hij dat hij weinig reden tot klagen had, maar dat Rosa bij lange niet bij machte was om

Charlotte te evenaren. Lot bedankte hem voor het geven van het enige juiste antwoord met een lange zoen op zijn mond.

28

Lieve Angela,

Ik heb even nodig gehad om je vorige mail te verwerken, vandaar de wat late reactie. Het is heel gek, ik ken je niet eens, maar ik ben een paar dagen behoorlijk van slag geweest. Ik zat inderdaad op dat terras in Zaandam even te vloeken. Dacht dat ik in de maling was genomen door een paar jochies die ergens achter een boom in een deuk lagen of zoiets.

Toen las ik jouw verhaal. Ik weet niet wat ik moet zeggen. Kanker. Terminaal. Ik ben er stuk van en kan niet eens beginnen om me voor te stellen hoe jij je moet voelen. Ik kan alleen maar zeggen dat er iemand, die je nooit gezien hebt, vreselijk met je mee leeft en zelfs, niet doorvertellen, een traantje weg heeft moeten pinken.

Dat komt omdat ik een verwantschap met je voel, een soort band. En daarom wil ik je toch vragen of ik jou een keer mag ontmoeten. Eén keer maar. Om je te zien. Om je stem te horen. Om je te ruiken, te voelen. Gewoon, om te weten wie AngelaAlkmaar nou echt is. Ik wil je eenmaal in mijn leven ontmoeten. Nu het nog kan. Ik kom naar Alkmaar toe. Mag jij een mooie plek uitkiezen voor de ontmoeting.

Als laatste wil ik alleen nog even zeggen dat ik natuurlijk niet boos op je ben, ben je gek zeg. Voor alles wat jij meemaakt moet je nooit meer sorry zeggen. Op de mooiste vrouwen moet je nou eenmaal het langste wachten. Dat weet iedere vent.

Xxx Rolf.

P.s.: voel je tot niets verplicht. Als jij het niet wilt, als jij je er niet prettig bij voelt, zeg je gewoon nee. Geen enkel probleem.

29

Rolf zat in zijn kantoor op de sportschool toen Carmen binnen-
kwam, met aan haar zijde een andere vrouw die hij niet kende.
Carmen wees naar hem en grapte iets in het oor van haar vriendin. Hij ging over de tong in 't Gooi. Het was hem al eerder
opgevallen dat steeds meer mensen wisten dat hij de nieuwe
vlam van Charlotte was en dat er over hen gepraat werd.
'Niets van aantrekken,' had Lot al eens tegen hem gezegd. 'Er
wordt hier meer geluld dan bij RTL Boulevard. Jaloezie is het.
Allemaal jaloezie, omdat ze zelf een oude uitgezakte vent thuis
hebben zitten.' Daarna hadden ze seks gehad.
Carmen kwam met haar vriendin op Rolf afgelopen. Hij stond
op en stak zijn hand uit ter begroeting, maar van zijn hand wilde
ze weinig weten: ze zoende hem vol op de mond en hij moest
zich wel heel erg vergissen als hij niet haar tong tegen zijn lippen aan had gevoeld.
'Ik hoor dat je inmiddels ook een Gooienaar bent?'
Ze had gelijk. Een paar dagen eerder was Rolf definitief in het
tuinhuisje van Charlotte getrokken. Veel te verhuizen viel er
niet. De oude twijfelaar met de lattenbodem, waar hij en Mariska zich doorheen hadden geneukt, had hij naar het grofvuil gebracht. Zijn gehavende meubels waren opgehaald door een buitenlandse man die nauwelijks 'dankjewel' in het Nederlands
had kunnen zeggen. Hij had zelfs de salontafel met de koffie-
kringen meegenomen. Die stond inderdaad nog steeds overeind,
zoals de vent die op Java-eiland woonde had beloofd.
De eerste dagen bevielen Rolf goed. Zoals door Charlotte was
toegezegd, mocht hij gebruik maken van alle faciliteiten. Hij
zwom dagelijks een paar rondjes, werkte zich in het zweet in de
fitnesszaal en had de hele Godfather-trilogie twee dagen gele-

den in haar bioscoopzaal gezien. Hij had zelfs al een keer de sauna uitgeprobeerd, al was hij daar geen fan van. Het leven beviel hem wel. Hij genoot van zijn vrijheid, behaagde Charlotte als zij het hem vroeg, en deed verder voornamelijk dingen die hij wilde doen. Er was geen wekker die hem 's morgens vroeg met luid gerinkel liet weten dat hij als de sodemieter naar zijn werk moest. Er was geen boze manager die hem vertelde dat hij die avond maar eens een paar uurtjes langer moest doorwerken, omdat dat ene klusje nou echt eens afgemaakt moest worden. Rolf was zogezegd de mannelijke versie van een Gooische Vrouw geworden. Daar kwam het eigenlijk wel op neer.

'Ja, klopt,' antwoordde hij. 'Ik woon nu bij Charlotte, of althans, in haar tuinhuisje.'

'Doet ze goed,' zei de vriendin terwijl ze Carmen een por gaf in haar zij.

Dat was dan hetgeen hem nog wel eens irriteerde. Ze zagen hem als een stuk speelgoed, zo had hij het idee, nu hij bij Charlotte was ingetrokken. Natuurlijk kwam dat ook doordat hij inmiddels met een aantal andere vrouwen het bed had gedeeld en door het vele geroddel in 't Gooi. Vrouwen zagen hem als een ware toyboy en als ze even met hem alleen wilden zijn, konden ze gewoon contact opnemen met Lot. Alsof hij er helemaal niets meer over te zeggen had. Alsof Charlotte zijn complete leven bepaalde. Feitelijk, zo moest hij toegeven, zat daar ook wel een kern van waarheid in. Hij was haar beroepsminnaar, en daar hoorden nou eenmaal bepaalde taken bij, waarvoor hij rijkelijk beloond werd, maar hij was toch zeker nog altijd wel een man, een persoon, en geen privé-eigendom van een rijke Gooische Vrouw die hem uitleende aan haar vriendinnen alsof hij een oude bakfiets was. Toch stoorde het hem niet genoeg, hooguit bij vlagen. Het leven beviel hem dusdanig, dat hij de blikken en de verhalen meestal maar gewoon voor lief nam.

'Dit is Marie,' zei Carmen.

Rolf stak zijn hand uit en stelde zich voor. Dit keer werd de hand wel aangenomen. Marie had nog wel wat werk te verzetten in de sportschool: ze was zwaar gebouwd. Het kwam in Rolf op, dat als Charlotte hem zou vragen ook een keer met Marie af te spreken, hij dit subiet zou weigeren. De voordelen moesten immers de nadelen de baas blijven, anders zou de tegenzin het leven als beroepsminnaar op werken gaan doen lijken.

Carmen en Marie liepen verder en gingen aan de slag. Rolf besloot nu eindelijk eens de weigerende loopband na te gaan kijken, die hij inmiddels uit de fitnessruimte had gehaald en achter in de kleine opslag neer had gezet.

De band deed het nog wel, maar sloeg iedere keer af, als hij een stand hoger werd gezet. Rolf had het ding half uit elkaar gesloopt toen Carmen haar bezwete hoofd om de deur stak.

'Wij gaan er weer vandoor,' zei ze. Rolf wilde haar groeten maar net op dat moment zei zij: 'Ik zal Lot vragen wanneer ik weer eens een avond met jou door kan brengen. Doei doei.'

Rolf stak een hand op en plukte even later met zijn vingers aan zijn bovenlip. Hij dacht even na over wat Carmen zojuist had gezegd. Het kwam er op neer dat ze hem ging reserveren. Ging bestellen zogezegd. Dit ging hem allemaal wel erg ver. Waarom had Carmen hém niet gevraagd of hij misschien nog een keer met haar weg wilde? Waarom had ze niet gewoon haar agenda getrokken en aan hem gevraagd wanneer het hem schikte? Deed het er allemaal niet meer toe? Was zijn mening niet meer dan een ondergeschikt iets, dat totaal niet van belang was? Carmen wilde nog wel een keer en dus ging ze het aan Charlotte vragen. Hij vloekte zachtjes in zichzelf.

30

Het was al half tien toen hij wakker werd. Gaf niks, hij had die dag niet veel te doen. Begin van de middag wilde hij even naar de sportschool, dat wel, maar wanneer precies, dat zou hij wel zien. Gisteravond had hij Charlotte nog gesproken. Ze was een paar dagen in het buitenland geweest en zou ergens vandaag terug in Nederland zijn. Hij las zijn email, checkte vluchtig wat headlines van diverse kranten via internet en dronk twee bakken koffie. Een Gooische ochtend zoals een Gooische ochtend hoorde te zijn. Geen stress. Geen werkdruk. Geen geldzorgen. Weinig om handen hebben, genieten van luxe. Een ochtend waarin achterstallige huur helemaal niet leek te bestaan, maar vervangen was door zwembaden, dure auto's en zeeën van tijd. Natuurlijk, soms, in onbewaakte ogenblikken, vond hij het eigenlijk niet kunnen dat een jonge, volwassen man als hij onderhouden werd door een oudere, welgestelde vrouw. Maar hij verbande die gedachten telkens snel uit zijn hoofd. Charlotte had er immers zelf voor gekozen. Zij onderhield Balou, omdat ze dat nodig vond, en zo onderhield ze ook Rolf. Blijkbaar wilde zij dat, mannen die altijd bij haar waren als zij zich dat wenste. Hij had haar ook nooit iets gevraagd, zij had het hem slechts aangeboden. Hij dacht terug aan de dagen in Barcelona. Aan Ana. En aan Charlotte's reactie. Misschien had hij Lot moeten vertellen hoe het werkelijk zat. Hoe onschuldig zijn kortstondige gesprek met Ana was geweest. Over welk nietszeggend onderwerp ze het hadden gehad. Dat was door zijn hoofd geschoten, meteen al, tijdens die nacht in Barcelona. Zij had hem om vrijwel niets geslagen, en hij, hij was voor haar op de knieën gegaan. Letterlijk. Hij had haar laten weten dat zij de baas was van hun twee. Alsof hij daar nog over twijfelde. Hij wist ook wel waarom hij ervoor had gekozen om niet tegen Charlotte in te gaan, maar om de schuld op zich te nemen en te beloven dat het nooit meer zou gebeuren. Zij was nou eenmaal zijn toegangsbewijs tot het heerlijke leven dat hij altijd had gewild. Een leven waarin hij nauwelijks hoefde te werken en waar de geneugten des levens rijkelijk over hem uit werden gegoten. En zolang hij haar tevreden kon houden, zou dit leven het zijne zijn.

Hij besloot om eerst maar even een paar baantjes te gaan trekken in het zwembad. Hij sloeg een handdoek over zijn schouder, trok zijn kleren uit en een zwembroek aan, en slofte even later op zijn badslippers door de verbindingsgang in de richting van het zwembad.

Hij zag meteen dat er iemand in het water dreef: Balou! Op zijn buik. Doodstil. Levenloos. Zijn armen en benen hingen slap als vaatdoeken langs zijn lichaam. Geen enkele beweging. Niets. Ogenblikkelijk pakte Rolf zijn mobiel en belde 112.

'Ik heb een ambulance nodig! Er ligt iemand in het zwembad! Hij beweegt niet meer. Naarderweg 220 te Blaricum! Kom snel! Snel!'

Rolf gooide het toestel op een stoel en sprong het water in. Met moeite kon hij Balou op zijn rug draaien. Hij drukte twee vingers tegen diens keel aan. Hij voelde niets. Rolf duwde Balou in de richting van de trap, daar waar hij kon staan. Door zijn rechterhand in Balou's nek te leggen duwde hij diens hoofd iets naar achteren. Met de duim en wijsvinger van zijn linkerhand kneep Rolf Balou's neus dicht en begon met mond-op-mond beademing. Hij probeerde hem de trap op te tillen, maar het lukte hem niet om het meer dan 110 kilo wegende lichaam het water uit te krijgen. Hij besloot om in het water door te blijven gaan met de beademing.

Rolf hoorde gestommel, iemand riep iets onverstaanbaars.

'Hier!' schreeuwde Rolf. 'Hier beneden! In de kelder! Kom vlug!'

Enkele tellen later kwam Charlotte binnen rennen, met in haar kielzog drie hulpverleners, waarvan er één onmiddellijk het water in sprong. Met vereende krachten tilden ze Balou op het droge. Terwijl de hulpverleners met de reanimatie verder gingen, keek Rolf naar Charlotte. Zij stond daar maar, met de handen voor haar mond geslagen. Hij sloeg een arm om haar heen.

'Wat… wat is er gebeurd?' stamelde ze zacht.

'Geen idee. Ik kwam binnen en hij lag daar. Ondersteboven, in het water.'

Balou werd aan de beademing gelegd en afgevoerd in de ambulance. Charlotte en Rolf reden er achteraan. Toen ze bij het ziekenhuis aankwamen, hoorden ze dat Balou onderweg was bijgekomen. Lot pakte zijn hand vast toen hij naar binnen werd gereden. Balou keek haar aan, met kleine ogen, en knikte traag haar kant op ten teken dat het goed was.

Rolf en Charlotte moesten plaatsnemen in de wachtkamer. Het duurde niet heel lang voordat er een arts op hen afkwam. Balou moest zeker nog 48 uur in het ziekenhuis blijven, maar het leek goed te komen met hem.

De arts richtte zich tot Rolf: 'Mijn complimenten,' zei hij. U bent heel rustig gebleven en heeft precies het juiste gedaan. U heeft zijn leven gered.'

Charlotte omklemde Rolfs middel met haar beide armen en begon te huilen. Rolf legde zijn arm om haar schouder.

'Ik heb EHBO gehad. Paar jaar geleden al, maar dit wist ik nog.'

De arts klopte twee keer kort op Rolfs schouder.

'Meneer heeft geluk gehad. Was u een paar minuten later gearriveerd, had hij het misschien niet overleefd.'

Rolf knikte en vroeg: 'Wat kan er gebeurd zijn?'

De arts haalde zijn schouders op.

'Geen idee. Dat moeten we nog bekijken. Het zou goed kunnen dat meneer onwel is geworden. Misschien dat het slachtoffer ons iets kan vertellen als hij weer helemaal bij kennis is.'

Balou bleek inderdaad onwel te zijn geworden terwijl hij aan het zwemmen was, al wist hij zich niet veel meer te herinneren dan dat hij rustig wat baantjes trok en opeens in een ambulance wakker werd. Een paar dagen later mochten Charlotte en Rolf

Balou ophalen uit het ziekenhuis. Alles was goed met hem. Toen hij Rolf zag keek hij hem eerst langdurig aan. Hij greep Rolf vast en drukte hem met veel kracht tegen zich aan. Even snakte Rolf naar adem, toen verslapte Balou's greep. Zijn lichaam schokte, Rolf voelde dat hij huilde. Daarna legde Balou zijn handen op Rolfs schouders en duwde hem van zich af. Hij knikte. Rolf knikte terug. Het was goed zo. Alles was goed zo.

Het was al laat, voorbij middernacht. Rolf had de halve dag doorgebracht in de sportschool van het hotel. Daarna waren Charlotte en hij samen uit eten geweest en hadden ze de James Bond-film Skyfall gezien, in Hilversum. Omdat zij de volgende dag vroeg op moest, voor zaken, was hij daarna rechtstreeks naar het tuinhuis gegaan, had hij een biertje uit de koelkast getrokken en was met de laptop op schoot languit op de bank gaan liggen. Hij opende zijn hotmail-account. Zeven mails. Twee waren baan-gerelateerd en Rolf gooide ze beiden direct in zijn prullenbak. De andere vijf waren van de datingsite. Er waren berichten van vrouwen met de illustere namen Belinda43, Lovelylinda, 125kilovrouw, Eva1963 en als laatste nog eentje van een dame met de onheilspellende naam Mrs. Mona. Rolf glimlachte even en keek of er wat foto's bijgevoegd waren. Bij twee van de vijf was dat het geval. De 125kilovrouw bleek borsten te hebben die de vergelijking met goed gevulde postzakken moeiteloos konden weerstaan en Mrs. Mona was met haar volledig door leer bedekte lichaam en de afschrikwekkende zweep in haar hand inderdaad zo onheilspellend als haar naam had doen vermoeden. Rolf gooide alle berichten in de prullenbak, net op het moment dat er een nieuw bericht binnen kwam. Het bericht waar hij stiekem op gehoopt had.

Lieve Rolf,

Wow, wat was ik blij om jouw mail te lezen zeg! Ik had echt het idee, zeker omdat er een paar dagen overheen ging, dat jij pissed was, omdat ik je had laten zitten. Ik moet eerlijk zeggen dat het me goed deed om te lezen dat jij zo mee leeft, terwijl je me nooit ontmoet hebt. Je bent een goed mens.

Die band die jij voelt, die verwantschap, die voel ik ook. Zeker na jouw bericht. Het lijkt mij geweldig om jou een keer te ontmoeten. Het is gek, maar jij hoort inmiddels bij een ander deel van mijn leven. Een geheim leven, waar niemand anders uit mijn omgeving van weet. Dat heeft iets. Iets spannends, iets puurs.

Ik wil je graag ontmoeten en ben erg blij om te lezen dat jij naar Alkmaar wilt komen, want ik voel me vaak zwak en reizen is al enige tijd niet meer mijn sterkste punt. Er is een café, op een minuut of tien lopen bij mijn huis vandaan. Ik zou je graag daar willen ontmoeten. Eén keertje maar. Zodat ik ook het geheime deel van mijn leven af kan sluiten voor het te laat is.

Ik hoor graag van je.

Je bent geweldig.
Ang.

Ze stonden die zaterdagmiddag bij de Audi-dealer in Naarden. Charlotte had Rolf verteld dat ze op zoek ging naar een Audi A3. Waarom precies, dat begreep Rolf niet zo. Hij vond een A3 uiteraard een buitengewone wagen, met ongetwijfeld alle comfort die je wensen kon, maar Lot had al twee auto's en beiden waren aanmerkelijk groter van formaat dan de A3, en groot, daar hield Lot wat betreft auto's nogal van.

Maar deze morgen had ze hem verteld dat ze toch echt een A3 ging kopen, en hij moest mee. Zilver moest ie zijn, fonkelend, schijnend zilver. En dus stonden ze aan het begin van de middag een zilverkleurige A3 te bewonderen en was er een enthousiaste verkoper genaamd Sjoerd die hen vertelde waar deze wagen allemaal toe in staat was.

'Dit is de sportback uitvoering,' zo begon hij aan een soort van verkleinwoordenode over de Audi A3. 'Superautootje hoor, al zeg ik het zelf. Bakkie heeft 160 pk en rijdt zomaar 220 km/h. Makkie voor hem. Sequentiële bak, zeven versnellingkies, cilinderinhoud van 1800 cc. Turbootje met intercoolertje, koppeltje van 250 nm. Raast zo maar effies naar de 100 km/h in minder dan 8 secondjes. Echt waar. Ik maak geen grappen. Verder heeft ie xenonplus, alle sportstoeltjes, verwarmd uiteraard, zijn bedekt met leer, aluminium dakrailingkie en natuurlijk een supersound in dat radiootje van hem. Verder zit er een interieurverlichtingspakketje in, dus alle handgreepjes worden met led verlicht. Centraal displaytje met alle info die je maar kan bedenken, weet je, met je radioprogrammaatje, buitentemperatuur, verbruik, cruisecontrolsnelheid, actuele snelheid, schakelindicatortje en noem maar op. Aaaah, is echt een monster man, een monster is dit bakkie.'

'Prima,' zei Lot toen de man uitgeraasd was, 'We nemen hem.'
Rolf en Sjoerd keken elkaar enigszins verbaasd aan.
'Eh, zouden we niet eerst op zijn minst een proefrit maken?'
vroeg Rolf.
'Precies ja, mevrouwtje,' zei Sjoerd. 'Effies een proefritje ma-
ken. Altijd verstandig hoor.'
Lot keek hem geïrriteerd aan.
'Dit mevrouwtje weet zelf wel wat ze doet, maar Rolf: als jij
een proefrit wilt, gaan we een proefrit maken. Maar jij rijdt.'

En zo kwam het dat Rolf een half uurtje en twee koppen koffie
later in een fonkelnieuwe Audi A3 langs de bastions en ravelij-
nen van Naarden reed. Het was weliswaar geen zilveren wagen,
dit testmodel was blauw metallic, maar wel de sportback uitvoering waar hij zojuist met Lot bewonderend naar had staan kijken.
'Vind je ervan?' vroeg Charlotte.
'Wat ik ervan vind? Tja, ik heb een twaalf jaar oude Golf, dus
ik vind het geweldig natuurlijk.'
Ze legde haar hand op zijn dijbeen.
'Mooi zo.'
Rolf spurtte even later de snelweg op om eens even flink door te
halen. Ze raasden over de A1 in de richting van Muiden, alwaar
hij even later bij de Maxis weer wilde gaan keren. Terwijl hij
met jongensachtige passie de auto over het asfalt joeg, had zij
weinig oog voor de wagen, maar des te meer voor hem. De
hand op zijn dijbeen, schoof langzaam op richting zijn kruis.
Even keek hij verbaasd naar beneden om te zien of hij het wel
juist voelde, en het was juist: zij was zojuist begonnen hem in
zijn kruis te masseren.
'Wat...eh... doe je?'
Ze zei niks, slechts het zachte ronken van de turbomotor was
hoorbaar. Ze draaide zich nu een kwartslag en knoopte met haar
hand zijn broek open.
'Lot, kappen... dit moeten we niet doen.'
Hij vloekte in zichzelf, omdat hij merkte dat hij de woorden met
een licht hoorbare kreun van opwinding uitsprak. Zij schoof zijn

rits neer en haalde zijn stijve uit zijn broek vandaan. Hij drukte zijn hoofd in de leuning. Zij begon te trekken.

'Lot... kom, dit kan niet. Krijgen we gedonder mee... met die vlekken en zo...'

Hij kreunde. Erg lang duurde het niet. Hooguit een minuut later spoot hij de vlekken die hij vreesde naar buiten. Zij veegde haar hand schoon en sloeg haar benen over elkaar. Zijn krimpende erectie druppelde na op zijn jeans. Lot pakte een tissue uit haar tas, veegde alles schoon, gooide het uit het raam, propte zijn lid terug in zijn broek en deed de knoop weer dicht.

'Je bent echt...,' stamelde de nog nahijgende Rolf, '... echt niet goed snik, jij.'

Ze lachte een volle lach.

'Weet je Rolf, die Audi; die is voor jou.'

Hij keek verrast naar haar.

'Watte?'

'Die ouwe Golf van je, die wil ik niet meer zien op het erf bij mij voor. Smerig ding. Die A3 is gewoon van jou. Helemaal van jou.'

'Ja, maar... dat kan ik toch niet aannemen?'

'Natuurlijk kan je dat wel aannemen. Leer nou eens dat ik geld genoeg heb. Ik wil soms wat uitgeven en tegenwoordig geef ik nou eenmaal graag uit aan jou. Zie het anders als een bedankje voor het redden van Balou. Die auto is voor jou. Geen discussie.'

Toen ze terugkwamen bij de garage handelde Charlotte de zaak vlotjes af met Sjoerd. Ze wilde de wagen snel hebben. Dat was wel een probleem, zei Sjoerd, zoiets kon zomaar drie maanden duren, maar zij zag dat probleem niet zo. Die auto, daar in die showroom, waar ze bij hadden staan kijken, die wilde ze hebben. En díe stond hier gewoon in Naarden, en die kon hij dus best met een week rijklaar hebben. Wel met korting graag. Was immers een showroommodel. Hij moest even overleggen met zijn manager. Zij mompelde dat hij dat zelf moest weten, maar zoals Charlotte het zei, zo gingen ze het doen.

Een week later stond de wagen klaar. Met korting uiteraard.

33

Het was heel anders dan dat hij zich had voorgesteld. Hij had gedacht aan een moeilijke, pijnlijke avond, met zware gesprekken over enge ziektes en een naderende dood. Over pijn, verloren dromen en chemotherapie. Over operaties, angsten en passende muziek bij een crematie. Maar zo'n avond werd het niet.

Dat kwam door Angela. Open en spontaan, zo was ze. Ze wilde gewoon een leuke avond, een heerlijke avond, met vermaak, drank, lekker eten en goed gezelschap.

'Het hoogtepunt van een film bevindt zich ook meestal pas kort voor de aftiteling,' sprak ze. Ongedwongen lachen, zonder verdriet, zonder pijn, zonder opborrelende gedachtes aan een naderend afscheid. Dat was de avond die ze wilde en dat was de avond die ze zou krijgen.

Angela vertelde alles over haar leven. Over haar kinderjaren, haar studentenleven, haar ontmoeting, huwelijk en scheiding van Jort. Ze vertelde over haar verre reizen, over India, Australië en Nieuw-Zeeland. En ze vroeg waar hij wel eens was geweest. Ze moest lachen toen hij antwoordde: 'Texel'.

Zij was net aan het vertellen over het jaar dat ze in Mexico had gewerkt, toen Rolf naar de klok op de muur van het Griekse restaurant keek: kwart voor acht! Ze moesten weg! Gehaast stonden ze op, rekenden snel af bij de balie en holden naar buiten, in de richting van het nabij gelegen theater.

'Ik heb tickets kunnen bemachtigen voor Theo Maassen!' riep ze eerder nog toen ze elkaar voor het eerst door de telefoon spraken. 'Die speelt, de avond dat wij af hebben gesproken, in Theater De Vest!'

Ze waren nog op tijd. Zij het maar net. Rolf en Angela zakten in hun stoelen, ongeveer drie minuten voordat Maassen het podium zou betreden. Een rij voor hen, waren enkele mensen niet zo gelukkig. Die waren ongeveer drie minuten nádat Maassen het podium betrad binnengekomen. De cabaretier had zijn armen over elkaar heen gevouwen en was naar hen gaan kijken. Of er een reden was waarom ze zo laat waren. Of er een reden was waarom ze zijn show verstoorden. Hadden zij misschien liggen neuken? 'Neu-ken,' verduidelijkte Maassen. 'Of zoals wij in Eindhoven zeggen; um er effe lekkuh inkletsuuuh!' Want dat zou de enige reden zijn waarom zij te laat mochten komen bij een voorstelling van hem. Was het zo? Hadden ze liggen neuken? 'Zeg 't nou? Zeg 't nou? Schaam je niet,' drong Maassen verder aan. 'We doen het allemaal. Die vrouw daar voor jullie doet het. En die man met die snor daar. Die ook. Misschien wel met elkaar. Zelfs ik doe het. Iedere dag. Twee keer. Soms drie. Dus schaam je niet, vertel maar. Lagen jullie te neuken? Ja toch? Ja toch? Jaaaaa, ik zie het aan die koppies. Die rode wangetjes. Die te haastig dichtgeknoopte blouse. Ik denk zelfs, ja, ik zie het goed, nog wat restjes van hem te zien daar bij jouw mondhoek.'

Rolf en Angela keken elkaar opgelucht gniffelend aan. Zij waren godzijdank op tijd geweest.

Na afloop was ze moe. Uitgeput zelfs. Teruglopen was haar nu even teveel. Rolf zei dat hij zijn auto wel op zou halen. Kon zij in de lobby van het theater rustig op hem wachten. Iets meer dan een kwartier later zaten ze samen in de Audi. Op weg naar haar huis. Ze keek hem aan. Langdurig. Hij keek twee keer kort haar kant op en vroeg toen: 'Wat? Wat is er?'

'Niets,' zei ze. 'Er is niets. Het is gewoon… deze avond… als vroeger, weet je. Gewoon ongecompliceerd entertainment. Daten met een leuke vent. Oké, misschien niet de seksdate die we eerst voor ogen hadden, maar wel een echte date. Lekker eten, showtje meepakken, daarna nog even borrelen. Echt, precies zoals vroeger. Toen we jong waren.'

Rolf hoorde een zachte onregelmatigheid in haar stem, toen ze de laatste paar woorden uitsprak. Alsof haar stem heel even brak. Hij legde een hand op haar knie.

'Het is niet eerlijk.' Hij klonk weerbarstig, beslist, verbeten.

'Dat vond ik eerst ook, toen ik net hoorde dat ik ziek was. Dat ik dood ging. Toen vond ik het ook zo oneerlijk. Maar dat valt wel mee. Zo heel erg oneerlijk is het allemaal niet. Ik ben toch 46 geworden. Da's zo'n beetje over de helft van wat ik sowieso maar had kunnen worden. En ik heb geleefd, Rolf, echt; ik heb geleefd. Veel reizen gemaakt. Ontzettend veel landen gezien. Er waren tijden dat we wekelijks uit eten gingen, het theater bezochten of gingen stappen. Ik heb het echt lange tijd ontzettend leuk gehad en ben ontzettend gelukkig geweest. Waarschijnlijk veel leuker en gelukkiger dan heel veel andere mensen. En dat is minstens zo oneerlijk.' Ze frunnikte aan een ring die ze van haar vinger af had geschoven. 'Ik ben tot over de helft gekomen en ben het grootste deel van die tijd gelukkig geweest, Rolf. Dan moet je gewoon niet zeuren. De kanker maakt mijn lichaam kapot, maar verder dan dat komt het niet. Wat hier zit,' ze legde twee handen op haar borst ter hoogte van haar hart, 'daar kan de kanker nooit aan komen. Dat blijft voor eeuwig bij me. Daar geloof ik in. Daar geloof ik vast in. Alle herinneringen aan al dat moois, het zal mij voor eeuwig gelukkig houden. Waar ik ook ben.' Ze staarde even uit het raam. 'Het enige waar ik boos over ben, wat ik misschien zelfs toch wel een beetje oneerlijk vind, is dat ik nooit kinderen heb kunnen krijgen.'

Hij keek even haar kant op.

'Wilde je dat wel dan?'

'Meer dan wat dan ook. Maar het ging niet. Ik kon geen kinderen krijgen. We hebben van alles geprobeerd hoor, Jort en ik. IVF, eiceldonatie, we zijn zelfs met adoptie bezig geweest. Toen hij mij verliet voor die stagiaire, was zij binnen no-time zwanger. Dat heeft me meer gekwetst dan wat dan ook in het leven. Met mij kon hij geen kinderen krijgen, dus ging ie gewoon naar een ander en nam daar kinderen mee. Nog steeds, als ik daaraan terugdenk, doet dat pijn, Rolf. Echt pijn. Soms zelfs misselijkmakend pijn. Letterlijk.'

Op haar aanwijzing kwamen ze even later aan bij het appartementencomplex waar zij woonde. Derde verdieping. Het appartement was niet heel groot, twee slaapkamers, maar wel stijlvol, modern ingericht en van alle gemakken voorzien: lift, parkeergarage, royaal ligbad, vloerverwarming, goed bemeten balkon.

De wanden en kasten werden gesierd door exotische schilderijen, uitheemse versiersels, en beelden, sculpturen en souvenirs uit landen ver, ver hier vandaan. Talloze foto's hingen gegroepeerd aan de muur. Van Angela, maar ook van anderen in Mexico en Egypte. In Ierland en Amerika. Ergens in Afrika en ergens in Azië. Het hele appartement ademde 'toen' uit. Toen was Angela in Afrika. Toen was ze in Ierland. Toen was ze in Egypte. Het hele appartement was ingekleurd door weemoed en melancholie. Door vroeger en door andere tijden.

Angela zag Rolf bewonderend en mijmerend haar woning in zich opnemen en ze leek te voelen waar hij aan dacht.

'Als je aan het einde van een doodlopende straat staat, is het eerste wat je doet achterom kijken, Rolf. Het mooie aan vroeger is dat het allemaal heel helder is. Als ik mijn ogen sluit weet ik alles nog. Ik weet nog precies waar ik was en met wie, toen al die foto's werden genomen. Ik weet waar ik dat beeld heb gekocht. En dat schilderij. Het verleden is helder, zuiver en betrouwbaar. De toekomst is schimmig en eng. En in mijn geval ook nog eens kort.'

Ze wandelden het balkon op en keken over de stad heen. Angela woonde in het centrum van Alkmaar en had een fraai uitzicht over halfvolle terrassen, plukjes jongeren op weg naar een avond vertier en een bejaard stel dat arm in arm voorlangs schuifelde.

'De wens van ieder mens; samen oud worden,' merkte Angela op. 'Ik heb op beide vlakken gefaald; ik ben niet samen met iemand en ik word ook niet oud.'

Rolf zei niets. Had ook geen idee wat te zeggen. Het waren van die opmerkingen die nauwelijks genuanceerd konden worden. Kille feiten. Troostende zinnen als 'het komt wel goed' of 'je hebt mij toch' waren hol, leeg en bovendien niet waar.

Staand op het balkon had Rolf ondertussen ongehoorde zin in

een sigaret gekregen. Maar roken voor de ogen van een terminale kankerpatiënt vond hij als zeggen tegen een blinde dat het uitzicht zo fraai was.

Angela draaide zich om en keek Rolf met een ondeugende grimas aan.

'Nu weer even onschuldige onzinpraat graag. Wij zijn namelijk niet bezig met een verdrietig afscheid, maar met een spannende en zinderende date, weet je nog. Vertel eens: waar heb je Mariska leren kennen?'

'Mariska?' reageerde Rolf verrast. 'Nou ja, eigenlijk heel saai en gewoontjes: op een zaterdagavond in een kroeg.'

'Vertel verder. Je zag haar, keek in haar ogen en toen smolt je weg?'

'Ha, zo snel gaat het bij mij nooit helaas. We waren op het Leidseplein. Cooldown-Café. Ik was met twee vrienden: Dave en Daan. En zij was daar met haar beste vriendin, Miriam. En die Miriam bleek het oude buurmeisje van Dave te zijn. Zo raakten we in gesprek.'

'Wat vond je zo leuk aan haar?'

'Jezus, het lijkt wel ninety minutes hier. Wat een kruisverhoor.'

'Hé, ik ga dood. Doe me een lol, en geef antwoord op de vragen die ik je stel!'

Even zeiden ze niks maar lachten ze slechts.

'Wat ik mooi vond aan haar…,' herhaalde Rolf terwijl hij even dacht aan toen. 'Alles eigenlijk. 'Maris is een mooie meid. Slank. Lang, mooi golvend haar. Blauwe ogen. Gewoon… ja, gewoon mooi.'

'En toen vroeg je haar mee uit?'

'Zo snel ben ik niet. Week of twee later kwam ik haar bij toeval weer tegen op een feest van een kennis. Die avond waren we eigenlijk niet bij elkaar weg te slaan. Al duurde het nog uren voordat ik haar eindelijk durfde te zoenen.'

'En wat voelde je toen?'

'Wat ik voelde… tja… ehm, combinatie van overweldigend geluk, van een opkomende verliefdheid, van onzekerheid, van heel veel dingen.'

'Onzekerheid?'

'Zeker. Veel onzekerheid.'

'Waarom ben je zo onzeker dan?'

'Dat valt ook wel mee. Maar vooral zo'n eerste kus, tja, dat is een lastige. Je wilt het niet te vroeg doen, je wilt ook niet te lang wachten. Meisjes hebben het veel makkelijker dan jongens: die wachten gewoon af op wat er komen gaat. En als de jongen niets doet, en zij wil toch meer, dan zoent ze hem gewoon. Geen jongen die er niet van gediend is. Andersom is het anders. Meisjes die niet gezoend willen worden zijn er in overvloed. Als je mazzel hebt, duwt ze je weg. Als je pech hebt, krijg je een klap voor je muil of een knie in je kruis.'

'Dat heb ik ook wel eens gedaan,' lachte Angela. 'Stel je voor: zo'n Zuid-Amerikaanse gladjakker. Gepimpt in een ogenschijnlijk duur, maar eigenlijk heel erg goedkoop pak. Haar: strak en achterover getrokken. Op zijn bovenlip: een borstelige snor. Yak! Naam: Alberto. Locatie: een feest ergens in Dubai. Alberto kwam uit Argentinië of Venezuela of ergens uit die hoek. Hij keek mij een paar keer aan en ik was zo stom om terug te knikken uit beleefdheid: fout nummer één! Die knik was als een schriftelijke uitnodiging. Hij kwam meteen op me af. Een zoete, stinkende walm hing om hem heen. Alles was fout aan die glibber. Alleen al de manier waarop hij bij me kwam staan. Ik stond met een elleboog geleund op een wandtafeltje en hij kwam tegen me aan staan, heup tegen heup, sloeg zijn arm achter me langs en drukte zijn hand tegen de muur aan. Zijn Engels was als Chinees voor me, maar voor ik het wist duwde hij met zijn neus tegen mijn wang aan, vlak voor mijn oor. Het leek wel een hondje! Toen maakte ik fout nummer twee: ik draaide mijn hoofd zijn kant op. Was uit verbazing over die neus van hem, maar hij vatte het op alsof ik wilde zoenen. Voor ik het wist had ie zijn mond op de mijne gedrukt en duwde hij die lap van hem naar binnen. Dat was het moment dat mijn knie in zijn kruis schoot. Ging automatisch. Echt. Maar ik raakte hem flink. Hij kromp ineen. Knieën tegen elkaar aan gedrukt. Handen voor zijn kruis. Hij stuurde nog een vertwijfelde blik mijn kant op. Eigenlijk vond ik dat nog wel sneu voor hem.' Angela sloeg een hand voor haar mond en lachte.

'Wie gaat er dan ook met zijn neus over iemands wang heen wrijven!'

Beneden gooide iemand een bierblikje tegen een rolluik. Er klonk wat dronkemansgelal. Het opgewonden geschreeuw van stappende jongvolwassenen. Muziekdreunen. Gelach. Geroep. Geluiden van plezier, van vermaak.

Een koud briesje dreef Angela en Rolf weer naar binnen. Zij verdween naar de keuken om drinken te halen, Rolf boog zich over een houten beeldje, wat erg Indiaans aandeed.

'Lange tijd lagen al die dingen ergens in een doos,' zei Angela toen ze terug kwam lopen met twee glazen. 'De meeste van die reizen maakte ik met Jort en die periode wilde ik vergeten. Alles flikkerde ik in dozen en borg het beneden op in de box. Pas toen ik ziek werd, begon ik te beseffen dat het een groot deel van mijn leven is. Een belangrijk deel ook. Toen heb ik op een zondagmiddag alles weer naar boven gehaald en heb ik het allemaal opgehangen en neergezet. Alles wat je hier ziet staan en hangen, Rolf, is mijn leven geweest. Dit is wat ik achter laat. Geen kinderen of kleinkinderen. Geen hond en zelfs geen cavia, maar ontelbaar veel kunstzinnige prullaria en foto's waar talloze anekdotes aan vastzitten. Daarom heb ik het opgehangen. Al die beelden, foto's en kunstwerken; als je die allemaal achter elkaar zet heb je een compilatie van de hoogtepunten van mijn leven.'

Daarna werd het gesprek weer wat luchtiger. Er werd over muziek gesproken. En over concerten die ze ooit bezocht hadden. Ze hadden het over hun favoriete films (hij: Godfather 1, 2 en 3, zij: Blood Diamond), favoriete tv-programma's (hij: DWDD, zij: Friends), favoriete nieuwslezers (hij: Eva Jinek, zij: Fred Emmer), mooie vrouwen (hij: Angelina Jolie, zij: een jonge Linda de Mol), lelijke vrouwen (hij: Donatella Versace, zij: ook wel), favoriete schrijvers (hij: Giphart, zij: Slaughter), favoriete kleur (hij: geen idee, zij: roze), favoriete sport (hij: voetbal en autosport, zij: paardrijden en dans), favoriete Michael Jackson nummer (hij: Billy Jean, zij: Billy Jean) en ze hadden het over wie ze het liefst ooit zouden ontmoeten en wat zij hem of haar dan zouden willen vragen. Mocht iedereen zijn.

Obama passeerde de revue. En ook Osama bin Laden. Hitler zelfs. Napoleon. Marilyn Monroe. Greta Garbo. Grace Kelly. Ayrton Senna. Johan Cruijff. Ze kwamen er niet uit. Rolf zat voorover gebogen met de ellebogen in zijn knieën gepunt en zijn handen om zijn neus heen gevouwen en opperde de Dalai Lama en daarna Majoor Bosshardt. Toen hij zijn hoofd draaide zag hij dat Angela op de bank in slaap gevallen was. De klok gaf aan dat het diep in de nacht was. Zij was uitgeput. Uitgeteld. Hij keek zeker een minuut of tien naar haar. Daarna tilde hij haar op en legde haar in bed. Hij gaf Angela een kus op de linkerwang. Op de rand van het bed bleef hij zitten. Minutenlang zat hij daar, kijkend naar haar. Zijn afscheid van haar. Zijn ogen liepen vol. Hij haalde zijn neus op. Hij dekte haar toe. Het was goed zo. Dat wist hij. Hij had aan haar laatste wens voldaan; een leuke, ontspannen avond vol vertier en vermaak, met lekker eten en entertainment. Meer kon hij niet voor haar doen. De aftiteling stond op het punt te beginnen.

Hij stond op en liep naar de kamer. Het koude briesje was er nog steeds en dwarrelde via de openstaande deuren naar binnen. Rolf ging op het balkon staan, legde zijn beide handen op de railing en ademde diep in door zijn neus. De terrassen in de verte waren nog steeds halfvol. Schuin tegenover hem stond een jong stel hartstochtelijk te zoenen tegen het rolluik van een gesloten banketbakker. Tieners in hun eigen tienerwereld. Een wereld waarin ziekte en dood slechts zelden voorkwamen. Een wereld waarin je een eerste afspraak zoenend tegen een winkelruit kon beëindigen om de volgende dag verder te gaan waar je gebleven was. Want je wist: die volgende dag zou toch wel weer komen. Rolf liep naar binnen en sloot de balkondeuren. Hij pakte pen en papier en schreef:

'Lieve Angela, dank voor deze avond. Komt vooraan in de compilatie van de hoogtepunten van míjn leven. Je bent een onvergetelijke vrouw. XXX, Rolf.'

34

Het was donker op de slecht verlichte binnenweg. In zijn spiegels, nog ver weg, zag Rolf twee koplampen. Voor de rest viel er weinig te zien. Hij was in gedachten verzonken. Zat te peinzen over wat het nou precies was dat hem zo in Angela had aangetrokken, nog ver voordat hij haar had ontmoet, en nog ver voordat hij wist van haar ziekte. Ergens was er iets dat hem intrigeerde in haar al tijdens hun eerdere mailcontacten. Het zat hem niet lekker dat hij niet kon bedenken wat dat nou eigenlijk was geweest, maar het was er, het was er echt. Een natuurlijk ontstane verwantschap: dat was waarschijnlijk de beste omschrijving.

De koplampen achter hem kleefden al een tijdje aan zijn bumper. Het waren die van een op leeftijd zijnde BMW, een model uit de 5-serie die al jaren geleden uit de productie was genomen. Bij de stoplichten even verderop kwam de BMW naast Rolf staan, op de baan voor links afslaand verkeer. Rolf keek bij de wagen naar binnen en zag een magere en met pet uitgeruste man, wiens gezicht behoorlijk ontsierd werd door een wel erg groot uitgevallen en gebochelde haviksneus. De man keek hem met een opvallend onvriendelijke grimas aan vanaf de passagiersstoel. De bestuurder van de wagen bleef uit zicht voor Rolf.

Voor hen ging het stoplicht voor linksaf op groen maar de BMW bleef onbewogen staan. De man keek weer strak voor zich uit, waardoor zijn enorme reukorgaan nog meer opviel. Rolf trok op toen het licht voor rechtdoorgaand verkeer op groen sprong.

Tot zijn verbazing spoot de BMW ineens vooruit en sloot aan vóór Rolf. Met een gangetje van zestig, wat Rolf irritant langzaam vond op een tachtig kilometer weg, reed hij achter de zojuist nog zo ongeduldige BMW aan.

En het was geen eens zestig meer. De BMW minderde steeds meer vaart. Rolf seinde met zijn lichten toen zijn teller de veertig al niet eens meer aantikte, en toeterde een paar keer toen ze nog verder afzakten naar de dertig. Een middelvinger slingerde zich uit de chauffeurszijde van de wagen. Rolf reageerde met een geïrriteerd wegwerpgebaar, waarvan hij hoopte dat de bestuurder het in zijn spiegel zou zien.

Hij besloot dat het zo wel genoeg was geweest, keek of er tegenliggers aankwamen, deed zijn knipperlicht aan en stuurde de linkerrijbaan op. Rolf wilde inhalen, maar de BMW gaf ineens gas en spoot vooruit. Dit was meer dan irritant rijgedrag, besefte Rolf, hier was iets heel anders aan de hand. Er zat niets anders op dan opnieuw achter zijn kwelgeest aan te sluiten.

Het begon weer van voren af aan: de BMW minderde steeds meer vaart, maar Rolf toeterde ditmaal niet. Hij voelde zich niet op zijn gemak. Het onbehagelijke gevoel bekroop hem steeds meer dat de bestuurder hem bewust op aan het zoeken was, hem bewust irriteerde, en hem in een situatie wilde dwingen waar Rolf helemaal niet in terecht wilde komen.

Hij nam zich voor om het nog een keer te proberen: wéér stuurde Rolf de linkerbaan op en wéér gaf de BMW gas op het moment dat hij wilde inhalen.

Rolf sloot voor de derde keer achter hem aan, stak een sigaret op, zette zijn raam op een kier en blies een eerste sliert rook door zijn getuite lippen naar buiten, terwijl de auto voor hem voor de zoveelste keer afzakte tot onder de dertig kilometer per uur. Hij keek in zijn spiegels, er zat niemand achter hem. Ook toen hij om zich heen keek zag hij niemand, het was hier, midden in de nacht op een slecht verlichte binnenweg, zo goed als uitgestorven.

Rolf rechtte zijn rug, gromde wat in zijn keel, stak de sigaret tussen zijn lippen en pakte het stuur stevig vast. Hij schakelde terug van drie naar twee en gaf een dot gas, terwijl hij de linkerbaan voor een derde keer opstuurde. Hij verraste de BMW enigszins, want hij was er bijna langs, maar net niet voldoende om terug te manoeuvreren op de rechterbaan. Zij aan zij scheurden de BMW en de Audi steeds harder over de binnenweg. 80, 90, 100, 110: de teller liep nu hard op. Rolf keek even naar rechts, de slecht zichtbare bestuurder keek met een opgetrokken bovenlip naar hem terug. In de verte boog de weg af naar links. 120, 130. Flauw licht van een tegenligger kwam uit de bocht vandaan.

Remmen of gas geven, dacht Rolf. 'Remmen of gas geven!' riep hij door de auto. Hij gaf gas. Nog meer gas. 140, 150. De BMW pareerde zijn snelheid.

Rolfs telefoon, voor hem liggend op het dashboard, ging over. Hij zag met een snelle blik de naam 'Lot' in het display verschijnen. Slechte timing, hele slechte timing.

De tegenligger kwam nu steeds dichterbij en begon te seinen naar Rolf. Hij keek opzij en zag de bestuurder van zijn kwelgeest met zijn hand een gebaar maken alsof hij Rolfs keel door wilde snijden met een mes. Dit was menens! De BMW ging niet remmen, en ging echt niet aan de kant! De tegenligger seinde wanhopig. Te laat om nog te remmen! Rolf moest iets doen! Hij stuurde met een ferme ruk het gras langs de weg op en remde voluit. De Audi stuiterde over het hobbelige grasveld, knalde dwars door een ijzeren hekje, ontweek ternauwernood een boom, reed het talud af en kwam met een klap tot stilstand, met de voorkant van de auto in een halve meter sloot gedrukt. Rolf beukte met zijn hoofd in de airbag.

Even bleef hij versuft zitten. Toen richtte hij zich op, vol adrenaline, schudde kort met zijn hoofd en keek in de spiegel: geen verwondingen in zijn gezicht. Hij moest uitstappen, en snel ook. Als die twee in de BMW echt naar hem op zoek waren moest hij maken dat hij weg kwam. Zijn nek deed pijn. Zijn arm voelde ook niet goed aan. Hij opende het portier en viel half uit de wagen. Hij probeerde overeind te komen, maar dat lukte niet. Hij voelde zich niet goed, misselijk, angstig, slap. Er gleed iets over zijn voorhoofd. Rolf streek er met zijn hand overheen: bloed aan zijn vingers. Hij proefde ook wat in zijn mond, spuugde op het gras. Nog meer bloed. Rolf voelde met zijn tong of al zijn tanden er nog inzaten. Hij dacht van wel.

Rolf kroop over het talud omhoog. Bovenaan gekomen, bleef hij liggen en keek of hij iets kon zien. Links van hem, in de verte, zag hij de BMW stil staan. Beide portieren open. Daarnaast zag hij de twee mannen. De haviksneus met de pet en een kleinere, vollere gestalte: de bestuurder. De haviksneus liep om de auto heen, opende de achterklep, frommelde er even in, en haalde er een honkbalknuppel uit. Rolf keek om zich heen, in paniek, kijkend, zoekend naar een schuilplek, maar er was slechts een gestrande auto, het gras van het talud en een modderige sloot achter hem. Zijn hartslag versnelde, zijn adem stokte. Hij moest hier weg, maar kon niet.

'Hey,' hoorde hij opeens vanuit de verte. 'Hey, hoe gaat het daar? Alles in orde?'

Rolf draaide zich om en zag de vier inzittenden van de tegenligger Rolfs kant op komen. Verderop bleven de haviksneus en zijn kleine kompaan staan, blijkbaar geschrokken van het plotselinge gezelschap. De knuppel liet de man een paar keer dreigend op zijn hand slaan. Ze zeiden iets tegen elkaar. De kleinste van de twee schudde een paar keer met zijn hoofd. Rustig stapten ze weer in hun wagen. Rolf hoorde het gelukzalige geluid van een oudere BMW die met piepende banden wegscheurde. Hij liet zijn hoofd vallen op het klamme gras. Drie mannen en één vrouw kwamen om hem heen staan en vroegen nogmaals of het echt wel ging. Vlak voordat Rolf kon antwoorden verloor hij het bewustzijn.

In het Tergooiziekenhuis in Hilversum werd hij wakker. Hij hoorde het regelmatige gepiep van een hartslagmeter. Het duurde enige momenten voordat hij door had dat het zijn eigen hart was dat hij hoorde. Hij zag een verpleegster, eerst wazig, daarna steeds helderder. Blauwe ogen, helblauw zoals de lucht op een zonovergoten Grieks eiland in augustus. De donkerbruine, met ogenschijnlijke nonchalance opgestoken haren, waarvan enkele plukken golfden tot ver over haar schouders, het smetteloos wit van haar kleding, maar bovenal de geruststelling van een vrouw die haar professie ooit zocht en vond in het hulp bieden aan zieken en gewonden, overlaadde Rolf met een golf van blijdschap. Een gemoedstoestand die hij, toen hij nog op het talud lag en de knuppel dreigend in de handen van de haviksneus zag, nooit meer dacht te kunnen omarmen, te kunnen koesteren. Maar hier, in deze ziekenhuiskamer, waarvan hij niet eens wist hoe of wanneer hij er was binnen gebracht, overviel het hem zoals alles de avond ervoor hem had overvallen. Niet alleen de aanslag had hem overvallen maar vooral ook Angela. Hij had haar ontmoet, hij had haar gezien, gevoeld, geroken en haar stem gehoord. Hij had haar in zich opgenomen, niet zomaar, niet als een leuk meisje dat wulps dansend de aandacht trok op de dansvloer van een hippe tent, nee, Angela was tot hem doorgedrongen tot diep in zijn ziel. Daar ergens had zij zich genesteld en hij wist nu al, na de waarschijnlijk enige ontmoeting die zij ooit zouden hebben, dat ze er voorgoed zou blijven. In zijn ziel, op een apart, speciaal plekje. Het zoetste plekje van al.

'Hoe voelt u zich?'

Hij knikte langzaam, slapjes. Hij voelde zich, nou ja, hij voelde zich wel oké, besloot hij. Dat was het woord: oké. Denkend aan de avond ervoor voelde hij zich buitengewoon, fenomenaal, opvallend goed. Maar denkend aan zijn nek, zijn bonkende hoofd, zijn onheilspellende gevoel in zijn maag, zijn arm, tja, dan voelde hij zich beroerd. Alles in ogenschouw nemend, gemiddeld genomen, plussen en minnen bij elkaar opgeteld en afgetrokken, voelde hij zich oké. Dat dekte de lading wel.

En dus zei hij op zachte toon: 'Oké. Ik voel me oké.'

'Goed zo,' zei ze. 'De dokter komt zo bij u.'

Hij vroeg waar hij was.

'In het ziekenhuis.' klonk het antwoord, 'Het ziekenhuis van Hilversum.'

'Maar hoe?'

'U heeft een ongeluk gehad, meneer. U bent een sloot ingereden met uw auto.'

'Dat weet ik. Alles staat mij nog opmerkelijk helder voor de geest. Maar hoe... hoe kwam ik hier?'

'Iemand belde 1-1-2. De ambulance heeft u opgehaald.' Rolf wilde nog wat vragen, hij had vragen in overvloed, maar de verpleegster zei: 'Stil nu maar, meneer. Stil nu maar. De dokter

komt zo bij u. Rust u maar uit.'
Hij besloot te luisteren; rusten klonk goed, klonk zalig zelfs, en hij sloot zijn ogen.

De schade bleek enorm mee te vallen. Het bloed dat hij in zijn mond had geproefd, en dat nu ergens, uitgespuugd op het gras van het talud lag, was niet meer geweest dan een tand die zich ruw door zijn onderlip heen had geboord. Het bonken in zijn hoofd, de misselijkheid, het was niet meer dan een hersenschudding. Vervelend, pijnlijk, maar van tijdelijke aard. Op zijn rechterarm had hij een diepe snijwond, die inmiddels gehecht was, en de meest vervelende pijn die hij voelde, die in zijn nek, dat was niet meer geweest dan het resultaat van de klap waarmee de Audi in de sloot tot stilstand was gekomen. Hij kon er enige weken last van houden, de komende dagen kon de pijn zelfs nog wel iets verergeren, maar ook dat zou geleidelijk aan als vanzelf weer overgaan. Hij had geluk gehad, zo had de dokter hem gemeld.
Geluk. Hij dacht over dat gekke woord na. Geluk. Hij had geluk gehad dat hij twee idioten op een weg was tegengekomen. Hij had geluk gehad dat hij een sloot in was geraasd. Hij had geluk gehad dat hij nu overal pijn voelde. Als pech een lekke band, een pukkel op de kin of een opkomende griep was, dan had hij liever pech gehad, dan het geluk dat hem zo plots overvallen had.

Of hij een kenteken wist. Rolf schudde zijn hoofd. Dat wist ie niet. Het was zelfs, al die tijd dat hij ruziënd met de BMW over de weg was gereden, niet één keer in hem opgekomen om de kentekenplaat te bekijken, laat staan in zich op te nemen. Zojuist had hij zijn verhaal, wat hem inderdaad nog opvallend helder voor de geest stond, gedaan aan twee agenten. Alles, vanaf het bumperkleven tot aan het moment dat hij out was gegaan. Hij had de mannen beschreven, zover hij ze had gezien. De haviksneus, de pet, het pezige en bleke gelaat van de bijrijder. Het leek geen Nederlander. Slavisch type, ergens uit het Oostblok, vermoedde Rolf. De bestuurder? Nee, die had hij nauwelijks gezien. Kleiner van stuk, dat wist hij wel, en wat steviger gebouwd, maar verder, nee, verder wist hij niets.

Ze vroegen hem of hij vijanden had en hij lachte schamper. Vijanden? Nee, niet dat hij wist. Recent ruzie gehad? Hij schudde zijn hoofd. Ook dat niet. Of hij zelf enig idee had gehad wie hem uit de weg had willen ruimen. Hij wist niets. Hij had geen flauw benul. Twee idioten, dat waren het, twee idiote wegpiraten die hem treiterden op een slecht verlichte weg en toen hij van zich af had gebeten, wilden ze hem een lesje leren. Dat leek hem veel meer voor de hand te liggen. Hij zag hoe de twee agenten elkaar aankeken. Twee verschillende gezichten, die dezelfde gedachten hadden.

'En die mensen,' begon Rolf, 'die eh… tegenliggers, die me hielpen. Hebben zij wat gezien?'

'Weinig meer dan een auto in een sloot, een man gewond op het gras en twee snel weglopende kerels in een BMW. Kunnen we niet veel mee.'

Hij moest nog een nacht blijven, ter controle, daarna mocht hij weg, zo had de dokter gezegd.

'Heeft u iemand die u op kan komen halen?'

Natuurlijk was die iemand er: Charlotte. Hij had al die tijd niet eens aan haar gedacht. Charlotte. Ze belde nog, schoot het door zijn hoofd, toen hij op die weg reed, met die BMW naast zich. Hij knikte als antwoord. Charlotte zou hem wel op komen halen. Maar ze kwam niet. Balou kwam. Hij zei dat Charlotte gisteren onverwacht naar het buitenland was afgereisd, voor zaken. Ze had nog getracht hem te bellen maar hij had niet opgenomen. Ze zou later die week pas weer terugkeren.

Zelfs de schade aan zijn auto bleek mee te vallen, zo bleek enige dagen later. Doordat de voorkant van de Audi in de ondiepe sloot terecht was gekomen, was het plaatwerk nog redelijk in tact gebleven, al had het gestuiter over het grasveld wel de nodige schade aan de onderkant van de wagen aangericht en had het hek waar Rolf doorheen was geraasd diepe krassen op de carrosserie achter gelaten. Desalniettemin liet de garagehouder weten dat de Audi over een kleine week vermoedelijk al weer opgehaald zou kunnen worden.

De politie kwam hem thuis nogmaals opzoeken. Of hij zich inmiddels iets meer kon herinneren. Hij schudde zijn hoofd. Er was niets. Helemaal niets dat hij ze nog kon vertellen. 'Dan zal het moeilijk worden,' meldden ze hem peinzend. Dit was bar weinig info. Echt heel weinig. Geen kenteken, geen naam, geen duidelijke omschrijving, dit was te mager. Veel te mager.

35

Rolf had de afgelopen dagen nagedacht over wat de politie hem had gevraagd. Of hij soms vijanden had. Of recent ruzie met iemand had gehad. Niet dat hij dacht dat hij vijanden had, en hij had de laatste tijd zeker geen ruzie gekregen, maar het was bij hem in zijn hoofd gaan malen.

Steeds weer had hij alles voor zich gezien, alles van die avond. Vanaf het moment van de koplampen, tot aan de onvrijwillige duik in de sloot. Aanvankelijk, zo had hij de politie ook verteld, dacht hij aan wegpiraten. Malloten die uit waren op ellende. Zoiets als zinloos geweld, maar dan met auto's. Van die gasten die op een verveelde avond waren gaan cruisen om een onschuldig, maar vooral willekeurig slachtoffer te grazen te nemen. Dat was híj dan toevallig geweest. Niet omdat zij een rekening met hem te vereffenen hadden, maar gewoon zomaar, omdat hij daar stomtoevallig op dezelfde weg reed als zij.

Maar nu hij was na gaan denken, en die avond als een film opnieuw en opnieuw in zijn hoofd af had gespeeld, werd hij daar steeds minder zeker van. Een aantal dingen waren hem opgevallen. De verbeten grimas van de man met de pet en de haviksneus. Het leek allerminst op het halfdronken gelaat van een 19-jarige relschoppende wegpiraat. Het was een man geweest, geen jongen. Ouder dan 40 misschien zelfs, met een blik, een gerichte blik. De blik van een man die wel degelijk wist waar hij mee bezig was, een doel voor ogen had, en daar niet van wilde wijken.

En dan was er natuurlijk nog de knuppel. De honkbalknuppel die ze uit de kofferbak haalden. Een dronken wegpiraat zou toch simpelweg schaterlachend door zijn gereden als zijn slachtoffer eigenhandig de sloot in was gedoken? Een knuppel in de achterbak... dat leek meer op de daad van een man die van tevoren na had gedacht over wat hij wilde gaan doen. De daad van iemand die doelbewust een aanslag wilde plegen. Maar wie dan? Dat was de honderdduizenddollarvraag. Wie zou in vredesnaam Rolf Derks uit de weg willen ruimen of op zijn minst zwaar toe willen takelen?

Eigenlijk was er maar één naam die hij kon bedenken; Pieter de Koog. Wat had Lot toen die avond bij Darla ook al weer over hem gezegd? Was dat niet iets over hoe de scheiding hem had veranderd van lief, vriendelijk en goedzakkig in bitter, grimmig en wraakzuchtig? Zoiets was het toch?

Hoe meer hij er over nadacht en hoe meer mensen hij in zijn hoofd de revue liet passeren; Pieter was de enige die hij kon bedenken. Charlotte had ooit eens gemeld dat hij haar ook na de scheiding lastig was blijven vallen en gepoogd had om haar financieel uit te kleden. Daar moest dus nog iets zitten van woede, jaloezie of afgunst. Haat misschien zelfs.

Maar niemand anders kunnen bedenken was natuurlijk geen reden om Pieter zomaar te beschuldigen. Daar kon Rolf bij de politie niet mee aankomen. Hij moest meer zekerheid hebben. Of op zijn minst enkele aanwijzingen. Maar hoe? Eén ding wist hij zeker: Lot wilde hij er voorlopig niet mee lastig vallen. Ze had al zoveel ellende met Pieter gehad. Met wat losse vermoedens kon hij haar nu niet opnieuw ongerust maken. Het beste - of eigenlijk het enige - dat hij kon doen was Pieter er zelf mee confronteren.

Maar dat idee leek krankzinnig. Een steenrijke zakenman, die vermoedelijk zelfs bodyguards om zich heen zou hebben, vragen of hij toevallig huurlingen opdracht had gegeven om hem te vermoorden... Dat klonk bizar. Maar wat dan? Hoe dan? Rolf was geen Hercule Poirot of Sherlock Holmes. Hij kon moeilijk sluipend door het hoge gras met een loep en een monocle op zoek gaan naar een half opgerookte sigarenpeuk of een modderige voetafdruk.

Hoe meer Rolf erover nadacht, hoe meer hij ervan overtuigd raakte dat het de enige manier was. Rolf moest Pieters reactie zien. Hij moest weten wie Pieter de Koog was. Alleen als hij hem zou spreken zou hij misschien iets meer te weten kunnen komen.

Ooit had Lot de naam Landgoed Westerkoog laten vallen. In Blaricum. Daar had ze jarenlang met Pieter gewoond, maar na de scheiding was zij weggegaan en was hij er blijven wonen. Het was niet moeilijk om het bijpassende adres te vinden. De naam van een zakenman uit de Quote 500 in combinatie met de naam van een landgoed bleek voor Google meer dan genoeg informatie om een waslijst aan gegevens uit te kunnen braken.

Het enige dat Rolf vanaf de weg kon zien was een groot stalen hek. Hij zette zijn fiets tegen een lantaarnpaal, stak de weg over en liep richting de toegangspoort. Aan weerskanten stonden twee hoge stenen palen die een groot golvend bord van staal omhoog hielden waarop de tekst 'Landgoed Westerkoog' stond. Rolf omklemde met zijn beide handen de spijlen van de poort en drukte zijn neus tegen het metaal aan. Zo stond hij daar. Glurend. Alsof hij een kind was dat gretig stond te wachten totdat de speelgoedwinkel open ging.

Wat hij zag was een oprijlaan bedekt met gele steentjes, die uitkwam bij een enorme villa, groter nog, veel groter zelfs, dan die van Charlotte. Er stonden drie auto's voor de deur. Zojuist had hij iemand over het erf zien lopen, van een bijgebouw naar de villa, om via een zijdeur naar binnen te gaan.

Rolf vroeg zich af of hij hier wel mee door moest gaan. Dit was het landgoed van een man, een machtige man, die misschien wel geprobeerd had om Rolf ernstig toe te takelen, of wellicht nog wel meer dan dat. Hij had gehoopt te kunnen aanbellen en dan, als Pieter in de deuropening zou staan om te vragen wat er aan de hand was, had hij hem ermee willen confronteren. Maar dit was niet zomaar een woning. Dit was, met recht, een landgoed. Hier kon je niet zomaar naar de voordeur lopen en drie keer kloppen. Hier moest je op een knop drukken bij een stalen poort die zeker een meter hoger was dan Rolf zelf. En bovendien was de kans heel groot dat Pieter zelf niet eens open zou doen, zoals Charlotte ook maar zelden de deur zelf opende. Dat liet ze doorgaans Balou doen. En Pieter had waarschijnlijk ook een Balou. Of misschien wel meerdere.

Zo stond Rolf daar, in gedachten verzonken. Zelfs toen het lichtjes begon te regenen bleef hij daar staan. Handen om de spijlen van de poort geklemd. Het moest meer dan een kwartier geweest zijn, dat hij daar had gestaan. Toen zag hij, vanuit de villa, een man op hem af komen lopen. Een grote, kaalgeschoren man. Handen in de zakken. Keurig in pak. Hij zag Rolf en stak van afstand al een hand omhoog, om aan te geven dat hij hem gezien had. Rolf liet zijn handen van de poort afglijden en deed twee passen naar achteren.

'Goedemiddag,' zei de man met een zware, maar niet onvriendelijke stem.

'Hallo,' antwoordde Rolf.

'Er hangen hier camera's,' de man wees naar boven. 'Je staat hier al een tijdje, vriend. Is er iets waar wij jou mee van dienst kunnen zijn?'

Rolf twijfelde even. Vroeg zich af wat hij moest zeggen. Wat hij hier überhaupt deed. Hij wist het zelf niet eens, dus wat zou hij de man moeten antwoorden?

'Ik... ik ben op zoek naar Pieter de Koog.'

'Naar Pieter de Koog,' herhaalde de man. 'En waarom ben jij naar hem op zoek?'

'Ik wil hem wat vragen.'

De man keek peinzend naar Rolf.

'En voor welke belangwekkende vraag moet ik de heer De Koog storen?'

'Dat is privé.'

'Privé?' De man streek glimlachend over zijn kin. 'Wat is jouw naam of is dat ook privé?'

'Rolf Derks.'

De man pakte een mobiele telefoon uit zijn zak en drukte op wat toetsen.

'Pieter, met Hein,' zo begon hij. 'Er staat hier ene Rolf Derks aan de poort en hij wil je wat vragen. Het schijnt privé te zijn.'

Even was het stil. Hein luisterde naar wat hem aan de andere kant werd verteld. Toen richtte hij zich, met de telefoon nog altijd tegen zijn oor geklemd, weer tot Rolf.

'Waar moet Pieter jou van kennen?'

Rolf schudde zijn hoofd: 'Hij kent me niet.'

Hein trok zijn donkere wenkbrauwen vragend omhoog.

'Ik ben de vriend van zijn ex.'

'Van Charlotte?'

Rolf knikte.

Hein wendde zijn hoofd af en zei: 'Pieter, hij schijnt de nieuwe vriend van Charlotte te zijn.'

Weer was het even stil. Daarna opende Hein zonder iets te zeggen de poort en gebaarde dat Rolf mee moest lopen. Achter hen sloot de poort zich weer. Rolf bedacht zich dat hij nu moederziel alleen was op het afgesloten landgoed van een man die hem wellicht dood wenste, en dat hij geen kant meer op kon.

Pieter voldeed niet aan het beeld dat Rolf al die tijd van hem voor ogen had gehad. Door zijn rijkdom, status, en zijn aantrekkelijke ex-vrouw, had Rolf verwacht iemand te zien die ook uiterlijk een bepaalde indruk zou wekken. Groot, slank, gesoigneerd. Grijzende, golvende haren die stijlvol achterover zouden vallen. Een alleszins aantrekkelijke man, wiens rijkdom uitstraalde op zijn persoonlijkheid.

In werkelijkheid bleek Pieter klein van stuk en tenger. Tegen het broodmagere aan zelfs. Bovendien was hij, los van wat stug volhoudende stekelige plukjes haar, kaal als de maan. Pieter was een vriendelijk ogende man, maar wel één die op ging in de massa.

De beide mannen keken elkaar aan met het ongemak van de ex-echtgenoot en de nieuwe minnaar. Want ondanks dat de oudere van de twee het verleden met Charlotte deelde en de jongere juist de toekomst, was het precies die ene gemene deler die hen beiden in het heden had doen samen komen. Met die onbewuste wetenschap observeerden ze elkaar. Zoekend naar overeenkomsten maar stiekem hopend louter tegenstellingen te zullen vinden.

'Dus jij bent de minnaar van Charlotte?' doorbrak Pieter de stilte. Hij stak zijn hand naar Rolf uit. Een gebaar dat Rolf verraste. In de afgelopen dagen was hij immers meer en meer gaan geloven dat Pieter inderdaad de verbitterde voormalige echtgenoot was, met wraaklustige gevoelens, en bij dat denkbeeld paste geen iel, kaal, bebrild mannetje dat zijn hand vriendelijk naar hem uitstak.

'Ik moet zeggen, dat ik verrast ben door jouw bezoek.'

Rolf liet zijn rechterhand kortstondig in die van Pieter glijden.

'Dat kan ik me voorstellen.'

'Wat kan ik voor je betekenen?'

Rolf schraapte zijn keel en keek even vluchtig naar Hein, die in een hoek van de kamer met zijn armen over elkaar toe zag op wat er gebeurde.

'Wat je tegen mij wilt zeggen, kan je ook tegen Hein zeggen,' reageerde Pieter.

Rolf knikte. Hij richtte zijn blik op zijn in elkaar gevouwen handen en vroeg zich af of hij zo plompverloren Pieter van een poging tot zware mishandeling of misschien wel van een poging tot moord kon beschuldigen.

'Laatst,' begon Rolf tenslotte, 'ben ik eh… tja, hoe zeg je dat, aangevallen. Door een stel wegpiraten ben ik van de weg gereden en in een sloot beland. Daarna stapten ze uit en pakten ze een knuppel uit hun auto. Het is dat er nog een andere wagen stopte anders weet ik niet hoe het afgelopen zou zijn.'

Pieter ging zitten aan de eettafel, sloeg zijn benen over elkaar, trok de bril van zijn neus en legde deze voor hem op tafel. Hij tuitte nadenkend voor even zijn lippen.

'Vervelend,' sprak hij toen. 'Vervelend. Maar ga zitten en vertel verder.'

'Ze haalden me in bij een stoplicht en gingen voor me rijden.' Rolf nam tegenover Pieter plaats en kuchte even. 'Langzamer en langzamer. Toen ik ze wilde inhalen, gingen ze harder rijden zodat ik er niet langs kon. Dat gebeurde een paar keer. Drie, vier keer of zo. Bij de laatste keer kwam er een tegenligger aan. Om die te ontwijken moest ik van de weg af en kwam ik in het water terecht.'

Pieter keek hem met priemende ogen aan. Rolf schoof ongemakkelijk in zijn stoel heen en weer en ging verder: 'De politie kwam langs in het ziekenhuis. Stelde me allemaal vragen. Over wat er gebeurd was natuurlijk, maar ook of ik die mannen kon omschrijven, of ik het kenteken had genoteerd en dat soort dingen. Ze vroegen of ik vijanden had. Of dat ik ruzie zou hebben met iemand.'

'En wat zei jij?'

'Ik zei van niet. Ik heb geen vijanden en ook geen ruzie.'

Even zweeg hij. Pieter pakte zijn bril van tafel en zette deze weer terug op zijn neus.

'En nu ben je hier. En dat is nu juist het interessante,' Pieter boog zich voorover en vroeg: 'Want weet je wat mij nou zo verdomde nieuwsgierig maakt?'

'Nee,' antwoordde Rolf.

'Waarom je míj dit vertelt. Razend nieuwsgierig zelfs.'

'Omdat... weet u... Ik wil graag weten wie erachter zit.'

'Denk je dat ik erachter zit?'

'Nee!' Rolf hoorde het zichzelf hard en dwingend zeggen. Hij maakte er zelfs nog een afwerend gebaar bij. 'Ik beschuldig u nergens van. Het is gewoon... ik wil alle mogelijkheden nagaan.'

'En ik ben een mogelijkheid?'

'Nou ja, misschien. Charlotte vertelde een tijdje geleden dat jullie een nogal vervelende scheiding hebben gehad. En dat jullie, hoe zeg je dat... op slechte voet uit elkaar zijn gegaan.'

Pieter perste zijn ogen samen tot kleine kiertjes. Toen begon hij te lachen. Hardop. Rolf keek hem verbaasd aan.

'Dat zal ze vast wel gezegd hebben. En daar zal ze waarschijnlijk mij de schuld van hebben gegeven want zo is die lieve Lotte wel. Luister jongen, ik ga de scheidingsperikelen die ik gehad heb met jouw minnares hier niet met jou bespreken. Hoe vervelend ik het gebeurde ook vind, ik heb er niets mee te maken. Niets. Ik zou ook niet weten waarom ik zoiets zou doen.'

'Om Charlotte.'

'Om Charlotte... Interessant. Daarmee zou het motief jaloezie zijn. En waarom ook niet? Het is immers één van de zeven hoofdzonden en heeft van alle menselijke emoties de meest beroerde der reputaties.' Hij glimlachte en keek over zijn schouder naar Hein, die emotieloos toekeek. Pieter zuchtte en vervolgde: 'Ik ben blij, en dat is het enige dat ik erover zeg, dat ik van dat mens af ben. Werkelijk heel blij. Mijn huwelijk met haar was verworden tot een farce. Een nachtmerrie zelfs. Ik heb geen enkele interesse meer in haar, laat staan in haar jonge minnaar. Het is tijd dat je gaat.'

Pieter stond op en zowel Rolf als Hein volgden ogenblikkelijk zijn voorbeeld. Met zijn drieën liepen ze de hal in.

'Die beroerde reputatie van jaloezie is slechts deels terecht, mijn beste Rolf,' sprak Pieter. 'Het klopt dat het aan kan zetten tot de meest wanstaltige gruweldaden, daar staan de kranten immers dagelijks vol mee, maar jaloezie heeft ook één grote zwakte; het is een emotie die op zichzelf niet kan overleven. Zonder liefde heeft jaloezie immers geen bestaansrecht. En daarmee vervalt het motief dat ik mogelijkerwijs zou hebben om jouw leven te bedreigen. Er is immers geen enkele vorm van liefde meer over tussen Charlotte en mij. Geen enkele.'

Even hield Pieter stil. Hij vouwde zijn armen en legde zijn linkerelleboog in zijn rechterhand. Met zijn linkerwijsvinger streek hij nadenkend over zijn kin.

'Ik kan niet genoeg benadrukken dat ik niets meer te maken wil hebben met mijn voormalige echtgenote. Zelfs het verleden dat wij delen is feitelijk al teveel wat mij betreft. Ik heb dan ook niet de minste intentie om me bezig te houden met de jeugdige minnaars van mijn ex-vrouw, of ze nou Rolf heten of Paul, het zal mij werkelijk waar een worst zijn.'

'Paul?' herhaalde Rolf. 'Zei u nou: Paul?'

'Paul, ja. Voor dat ze jou had, had ze ene Paul, geloof ik. En ik vrees voor jou dat er ook wel weer een ander zal komen. Of misschien, als ze een traditie in ere wil houden, zelfs wel tíjdens jou. Maar als je me nu wilt excuseren, ik ben een druk bezet man.'

Hij knikte ter afscheid en liep weg. Hein gebaarde met zijn arm dat Rolf door moest lopen naar de uitgang, wat hij gehoorzaam deed. Toen hij in gedachten verzonken over de oprijlaan liep, zag hij in de verte de stalen poort alweer opengaan. Hij liep in één ruk door naar zijn fiets. Eén naam bleef door zijn hoofd heen galmen: Paul. Paul. Paul.

36

Hij drentelde met beide handen in de zakken door de massa heen. Het was druk, Charlotte had flink wat mensen uitgenodigd. Veelal vrouwelijk, dat viel wel op, en overduidelijk allemaal vrouwen van het Gooische soort. Stuk voor stuk uitgerust met deftig gecoiffeerde haren, die duidelijk niet door de plaatselijke kapper op de hoek waren geknipt, maar door stylisten, duurbetaalde haarstylisten die zich met eigen creatieve ontwerpen flink hadden mogen uitleven. Overal waren er met veel zorg gemanicuurde nagels, blinkende parelkettingen en dikke lagen make-up waar visagisten eerder die dag uren op hadden lopen zweten.

De meeste aanwezigen waren onbekend voor Rolf, al had hij inmiddels een paar vriendinnen van Lot gezien, zoals Carmen en Rosa. En hij zag een presentatrice, van tv. Eentje waarvan hij niet direct de naam voorhanden had, maar wel wist hij, dat zij zo'n show deed op zaterdag, en dat zij haar gezicht in de loop der jaren flink had laten veranderen en aanpassen om de destructieve tand des tijds met peperduur geweld tegen te gaan. Niet dat zij de enige was hier: ook Charlotte bezocht eens in de zoveel tijd iemand die haar opkomende rimpels met wat injectienaalden te lijf ging. Bovendien had Rolf van haar wel eens gehoord dat een goede kennis van haar, genaamd Cassandra, ooit haar gebochelde neus had laten ombouwen tot een strak exemplaar. Het waren verhalen die Rolf nog niet zolang geleden met verbazing tot zich had genomen, maar waar hij ondertussen wel redelijk gewend aan was geraakt.

De meeste mannen die er waren, hoorden bij de bediening, en liepen non-stop in de rondte om glazen bij te vullen of om uit naam van de ingehuurde cateraar krokante cupjes krabsalade, toast met gestoomde makreel, in bieslook gerolde bolletjes ossenworst met ui, quiche Loraine, spiesjes van knoflookgamba's of huisgerookte kalfs-ribeye met truffelcrème uit te delen. Rolf had geen idee wat hij zojuist van de schaal die voor zijn neus gehouden werd afpakte, maar het kwam hem voor als een vorm van vis, en het lag in een krokant bakje. Het smaakte apart, niet heel lekker vond hij zelf, maar apart, en een aparte smaak, zo veronderstelde hij, was wellicht nog wel belangrijker op dit soort feesten dan dat het simpelweg lekker was. Lekker had iets ordinairs, iets banaals, alsof het junkfood betrof of paprikachips. Apart was beter. Exclusiever.

Charlotte was die dag 52 jaar geworden en had flink uitgepakt. Althans, zo vond Rolf. Lot zelf vond het redelijk gewoontjes, 'casual', zo had zij hem enige weken geleden, toen ze aan de voorbereiding begon, al medegedeeld.

Er was iets tussen hem en Charlotte. Het broeide al een tijdje. Rolf wist niet precies wat er aan de hand was, hij kon zijn vinger er niet opleggen, maar sinds die avond van het ongeluk was er iets veranderd tussen hem en Charlotte. Zij was niet vaak aanwezig, had het druk met zaken en met de voorbereiding op haar verjaardag, zo zei ze, maar Rolf had het gevoel dat er meer aan de hand was dan dat. Zij vitte vaker op hem dan voorheen. Er leek iets te zijn, iets waarvan hij geen idee had wat dat dan precies was, wat er tussen hen in stond. Er was iets, zo meende hij, dat zij hem kwalijk nam. Zij was boos op hem. Hij had geen flauw idee waarom.

Zelfs toen hij haar die ochtend feliciteerde en haar cadeau gaf, had zij koel en afstandelijk gereageerd. Toen hij haar wilde zoenen, had zij hem haar wang toegedraaid, alsof ze niet al maanden samen de liefde bedreven, of beter gezegd: samen neukten.

'Er komt zo iemand voor jou,' fluisterde Charlotte zonder dat hij haar had zien aankomen in zijn oor.

Hij keek haar met een vragende blik aan.

'Voor mij? Dit is jouw dag, iedereen komt voor jou.'

'Zo bedoel ik het niet. Een vriendin van mij, Evelien heet ze, wil even gebruik maken van jouw diensten.'

Rolf proestte.

'Mijn… mijn diensten?'

Ze keek geïrriteerd. Alsof ze zich ergerde aan zijn onbegrip.

'Ze wil neuken, als je het per se horen wilt,' zei ze grimmig.

'Neuken? Kom op, Lot, daar heb ik nu geen zin in. Dit is je verjaardag. Laten we gewoon feestvieren en dan vanavond sámen naar bed gaan.'

Ze keek hem met een strakke uitdrukking aan.

'Het is inderdaad mijn verjaardag,' begon ze beslist, 'en er zijn hier nu twee soorten mensen: gasten en personeel. En weet je wat het verschil is tussen die twee?'

Rolf schudde weifelend zijn hoofd.

'De gasten zijn hier op uitnodiging en het personeel wordt ervoor betaald. Tot welke groep denk je dat jij behoort, Rolf?'

Rolfs mond viel open. Hij wilde iets zeggen, maar zij gaf hem de kans niet.

'Als Evelien zich meldt, neem je haar mee naar het tuinhuisje.'

Ze beende weg en sloot zich aan bij een groep vrouwen vijf meter bij hem vandaan. Nog één keer keek ze om en knikte naar Rolf. Een knikje waarmee ze aangaf dat ze zeer wel meende wat ze had gezegd.

Rolf staarde voor zich uit op de bank in de woonkamer, daar waar niet heel veel mensen waren. Hij was personeel voor Lot. Hij was hier, op haar verjaardag, omdat hij niets meer was dan de cateraar, de dj die voor de muziek zorgde of die grote bebaarde kerel achter de bar. En misschien nog wel minder. Dat immers, waren eerzame beroepen. Professies waar mensen voor leerden, carrière mee konden maken en een inkomen mee afdwongen, waardoor ze een hypotheek konden aanschaffen. Maar hij, hij was niets meer dan de eerste de beste Poolse dame die kortgerokt, met teveel goedkope make-up en hoge, leren laarzen, een snelle pijpbeurt gaf aan een opgewonden zakenman met een uitgezakte echtgenote thuis en te veel uurtjes over in zijn agenda. Dat was wat hij was en dat zinde hem niks. Hij had een wat merkwaardige relatie met Lot, dat vond hij zelf ook, een overeenkomst was het meer, maar er moest toch zeker 'iets' tussen hen zijn. Een vorm van wederzijdse genegenheid naar elkaar toe, een verlangen om met regelmaat tijd samen door te brengen om de doodeenvoudige reden dat daar van beide kanten behoefte aan was.

Charlotte had hem nu onomwonden en met een zekere minachting in haar woorden, gelijkgesteld met het personeel. Hij was haar werknemer. Eentje met een weliswaar ietwat onduidelijke functie, maar toch zeker niet meer dan dat.

Het was op het moment dat hij zat te peinzen of hij hier wel mee door moest gaan, toen een vrouwenstem op gebarsten toon aan hem vroeg of hij inderdaad Rolf was.

Hij keek op. Ze was ouder dan Charlotte. Een verzorgde vrouw, dat zeker, maar gezet, tegen het dikke aan.

'Evelien?' vroeg hij op gedempte en twijfelende toon.

Ze knikte.

'Het tuinhuisje, toch?'

Het schoot Rolf door zijn hoofd dat hij moest weigeren. Maar deze weigering zou consequenties met zich meebrengen. Dat besefte hij. Alles wat hem de laatste maanden was overkomen zou hem vermoedelijk afgenomen worden. Het huis. De auto. De baan. Charlotte. Een eenvoudige weigering zou alles waar hij de laatste maanden om was gaan geven, de luxe, de vrijheid, de seks, op het spel zetten.

'Ja,' antwoordde Rolf dan ook. 'Ja, we gaan naar het tuinhuisje.'

Evelien bleek niet te zijn als Carmen. Carmen was een vrouw met wie Rolf een zekere klik had gehad. Een eerlijke vrouw, die weliswaar welgesteld was, maar dat niet in alles wat ze zei liet doorschemeren. Bij Carmen had hij zich op zijn gemak gevoeld, hij had zich zelfs met haar vermaakt, een leuke avond gehad, als twee gelijkgestemden die samen iets gingen ondernemen, maar met Evelien was alles anders. Ze was kil, afstandelijk en deed het overkomen alsof hij er alleen maar voor haar was en niet andersom.

Bij binnenkomst in het tuinhuisje gaf ze er ook al snel blijk van, dat het haar niet te doen was om zijn plezier. Hij moest voor haar gaan staan en zich uitkleden. Nu was hij aan dat ritueel inmiddels wel gewend geraakt, en had er ook niet zoveel moeite meer mee, maar Evelien deed het op een wat andere manier. Ze bekeek hem eerst uitvoerig. Hij moest zich omdraaien, bukken, zijn lid optillen zodat ze alles goed kon inspecteren. Waarom zij hem dat vroeg wist hij niet. Of het een vorm van hygiëne-inspectie was of dat het haar een soort van opwinding bezorgde daar was hij nog niet uit. Uiteindelijk duurde de hele sessie vijf kwartier. Toen kleedde zij zich zonder veel te zeggen weer aan. Al die tijd had zij zijn lid niet aangeraakt. Zij had zich op meerdere manieren door hem laten verwennen, maar zij had, in tegenstelling tot de anderen, niets gedaan om hem een plezier te doen. Niet dat hij daar nou direct op uit was geweest, hij vond haar immers onaantrekkelijk en deed alles bij haar plichtmatig, maar het was hem wel opgevallen.

Toen ze samen op het punt stonden om het tuinhuisje te verlaten en terug te keren naar het feest, zei zij: 'Afrekenen met Lot, toch?'

Rolf keek haar zwijgend aan. Zij wachtte enkele seconden op een antwoord, maar toen dat uitbleef, haalde zij haar schouders op en ging weg.

Hij vond Charlotte in de keuken, waar ze zojuist met de cateraar had gesproken.

'Natuurlijk laat ik me daar voor betalen,' bromde Charlotte. 'Wat dacht jij dan? Als ze mijn auto willen huren, vraag ik daar toch ook geld voor?'

Rolfs hand bedekte zijn mond.

'Dus het is echt zo. Je verhuurt mij?'

Ze keek koel, ijzig zelfs, zijn kant op.

'Wat dacht jij dan? Dacht je dat ik je gratis uitleende aan vriendinnen? Als ze dat willen, zoeken ze zelf maar iemand om mee te spelen. Niets is gratis hier. Niets. Jij dus ook niet.'

'Dus ik ben een hoer. Een gigolo.'

'Noem het zoals je het wilt. Ik noem het een beroepsminnaar. Dat is wat anders. Kijk maar om je heen, kijk waar je bent. Je zit nou niet bepaald achter een smoezelig raam op een piepend bed en je loopt ook niet ergens achter het Centraal Station rond, wachtend op een remmende auto. Je bent hier, badend in luxe, rijdend in een Audi, iedere ochtend baantjes trekkend in een privé-zwembad en bankdrukkend in de fitnesszaal. Het ontbreekt je aan niets. Aan helemaal niets. Ik noem dat alles behalve het leven van een uitgemergelde hoer. Dat is het leven van een Gooische beroepsminnaar. Niets anders. En ja, om dat leven te kunnen financieren, of in ieder geval, om dat leven door míj te laten financieren, zal je daar wel iets voor moeten doen zo af en toe.'

Met haar linkerhand pakte zij zijn kin vast, zodat zij hem recht in zijn ogen aankeek.

'Of dacht jij soms, dat dit alles voor niets was? Dacht jij dat, Rolf Derks?'

Zij keek hoe hij zijn hoofd langzaam heen en weer schudde, en ze deed dat met vlammende, giftige ogen, die hem zelfs even deden schrikken.

'Dan zijn wij het daar in ieder geval over eens.'

Rolf stapte achteruit bij haar vandaan. Eerst langzaam, de volgende passen steeds iets sneller. Net op het moment dat Charlotte zich omdraaide en wegliep, botste Rolf tegen de tv-presentatrice met de opgespoten wangen op.

'Jij bent toch die Rolf? Die van Charlotte?' vroeg ze hem nadat hij zich om had gedraaid.

Hij keek haar slechts aan, mond een centimeter geopend. Wat moest ze van hem? Toch niet ook…? Weer deed hij een paar passen achteruit. Verder, sneller, harder. Hij moest weg hier, dat was alles wat hij wist. Weg hier van dit verdorven feest, met al die verdorven vrouwen. Die vrouwen die allemaal, stuk voor stuk, wisten wie hij was en wat hij deed. Hij draaide zich om, en botste nu weer tegen een lange, slanke middelbare vrouw aan, die pardoes haar wijn over hem heen morste. Ze keek hem aan. Van boven naar beneden, en weer terug. Goedkeurende blik. Er was geen ontkomen aan: ze waren overal. Vrouwen, middelbare vrouwen. Laag uitgesneden blouses en jurken. Borsten. Overal borsten. Borsten die betast wilden worden. Borsten die gekoesterd wilden worden. Ze keken naar hem. Honderd paar opgemaakte ogen keken naar hem. Keurden hem. Wilden voor hem betalen. Voor een uur, anderhalf hooguit. Vooruit, twee, maar dan echt wegwezen. Hij versnelde zijn pas. De tuin in. Nog meer vrouwen. Overal vrouwen. Starend. Fluisterend. Gniffelend. Hij was van hen, niet meer van zichzelf, niet meer van Charlotte. Maar van hen, van hen allemaal. Hij was van alle vrouwen in Blaricum, Laren, Huizen, 't Gooi. Hij was de hoer van alle vrouwen in 't Gooi. Hij moest weg hier. Hij begon te rennen. Sneller en sneller. Naar het tuinhuis. Zijn tuinhuis. Waar hij… zojuist nog… met Evelien... Dan toch maar naar de auto. Weg hier. Nu. Straks. Misschien wel altijd. Maar weg van hier, dat was al wat nog restte.

37

'Míjn vriendje Paul?' Er klonk net zoveel verbazing in haar stem door als dat er op haar gezicht af te lezen was. Ze zaten die zonnige middag samen op het terras van een bistro ergens in Blaricum. Per mail had hij het verzoek - als het zo genoemd mocht worden - van Charlotte gehad om Carmen te bellen en met haar af te spreken.

'Paul, ja,' zei Rolf. 'Paul, de tennisleraar.'

'Oh, díe Paul.' Carmen vloog ogenschijnlijk met haar gedachten even terug in de tijd. 'Paul de tennisleraar. Die ken ik nog wel, ja.'

Ze nipte van haar wijn op een manier zoals alleen rijke Gooi-sche Vrouwen dat konden. Rolf had dat, nu hij reeds een tijdje in 't Gooi vertoefde, al een paar keer gezien, bij diverse vrouwen. Er zat een bepaalde vorm van decadentie in, vermengd met een vleug arrogantie maar ook een toefje fijnzinnigheid. Het nippen van een drankje, was in 't Gooi niet zomaar wat drinken, maar werd gevoed door een altijd aanwezig element van show en uiterlijk vertoon. Dat gold eigenlijk voor de meeste dingen. Alles, echt alles, moest een bepaalde indruk wekken, zo kwam het bij Rolf over. Men reed geen Mercedes, Porsche, Audi, Lexus, BMW of ander duur merk omdat het model hen zo aansprak, maar simpelweg omdat de keuze voor iemand uit de hogere kringen van 't Gooi beperkt was tot één van die door status vervulde merken. Een Opel, een Ford, een Citroen of een Renault, nee, dat was voor het plebs daarbuiten. Voor hen die slechts konden bewonderen, maar nooit zouden kunnen bezitten.

'Paul was míjn vriendje niet hoor,' ging Carmen verder. 'Ik heb het één keer met hem gedaan, als ik me niet vergis. Eén keer.

Op voorspraak van Lot. Het leek haar wel weer eens tijd voor mij om een keertje met een man uit te gaan en... nou ja, en nog wat meer, zeg maar.' Ze giechelde.

'Op voorspraak van Charlotte?'

'Ja. Paul was haar jongen. Zij deden het met elkaar. Charlotte was in het begin natuurlijk nog getrouwd met Pieter, maar daar had ze zich nooit door laten afremmen. Hoefde ze ook niet. Pieter aanbad haar. Ze mocht alles doen wat ze wilde, kon zich volledig uitleven op alles waar ze zin in had. Pieter vond het toch wel goed, zolang ze maar bij hem bleef. Dat was alles, zijn enige eis richting haar. Hij wilde dat ze eeuwig bij hem bleef, hoe of op welke manier, dat maakte hem niet uit. Ze deed het dan ook met wie ze wilde, wanneer ze het wilde, waar ze het wilde, hoe ze het wilde, en ze wilde het voornamelijk met mannen die een stuk jonger waren dan zij.'

Rolf plukte, enigszins uit het lood geslagen over wat hij net had gehoord, aan zijn onderlip, terwijl zijn wenkbrauwen zich nadenkend over zijn ogen heen bogen.

'Je lijkt verbaasd,' merkte Carmen op. 'Je weet toch als geen ander hoe ze is?'

Rolf knikte.

'Maar... Lot zei, voordat jij en ik voor het eerst een afspraakje hadden, dat Paul jóuw vriendje was. En dat jij, nadat hij verdwenen was, vereenzaamde.'

'Nou, ik moet zeggen, in dat laatste heeft ze wel een beetje gelijk. Ik heb wel last gehad van eenzaamheid helaas. Dat heb je wel eens. Ondanks dit alles. Het geld. De villa. De tripjes. Het hele Gooi is gebouwd op een fundering van eenzaamheid. Van eenzaamheid en leegte. Je moet je eens indenken dat je in zo'n villa woont, helemaal in je eentje, met een half landgoed eromheen, omgeven door een robuuste omheining, met tien slaapkamers en vier badkamers, met zwembad in de kelder, en een Porsche en een BMW voor de deur. Vergelijk dat eens met helemaal alleen wonen in hartje Amsterdam. Waar denk jij dat je beter af bent? Ik weet het antwoord wel. Ik heb er ook serieus over nagedacht om er een huis in Amsterdam bij te nemen. Een grachtenpand of zo. Of een appartement. Twee bevriende zussen runnen een hotel in de Jan Luijkenstraat, tussen de PC Hooft en het Rijksmuseum in. Heb ik een tijdlang een kamer gehad. Paar maanden. Daar woonde ik toen eigenlijk de helft van de tijd. Om te proberen, om te kijken of het iets voor me was. En het had wel voordelen hoor, iedere dag de PC Hooft, ha; lekker winkelen. Heerlijk eten. Culturele tripjes maken. Maar uiteindelijk heb ik toch maar besloten om het niet te doen. Om geen huis te kopen daar. Ik denk dat het niet echt iets voor ons soort mensen is. Voor Gooische mensen, bedoel ik. Daar in die enorme stad. Dat moet je liggen, denk ik. Dat moet in je zitten. Na een paar dagen verlangde ik naar de rust, de ruimte, het groen, de stilte, de buurtroddels, en ja, zelfs naar die prachtige rollende 'r' die je hier hoort, in plaats van die snauwende 'a' van Amsterdammers. Ik verlangde ernaar om chique Lexussen, mooi gepoetste Mercedessen en patserige Ferrari's te zien in plaats van een armoedige Opel of een vieze Volkswagen met een wielklem linksvoor. Dan maar die eenzaamheid. Die eeuwige en vervloekte eenzaamheid.'

Carmen staarde mistroostig voor zich uit. Rolf keek haar aandachtig aan. Gek is dat, dacht hij, gek is dat; iedereen die niet rijk is heeft als doel om rijk te worden, maar zij die rijk zijn, geven bij herhaling aan dat geld niet zaligmakend is. Wat was dat toch? Hadden al die mensen die rijk willen worden hun prioriteiten niet op orde? Snapten die dan allemaal niks van wat er werkelijk belangrijk was in het leven? Of was het juist andersom en waren het de rijken die niet wisten, of simpelweg vergeten waren, hoe het was om geen geld in overvloed te hebben? Waren zij vergeten dat een hobbelende Fiesta niet zo zalig rijdt als een zoevende Cayenne? Of dat zwemmen in De Mirandabad heel wat anders was dan zwemmen in je eigen kelder? Wat was nou daadwerkelijk het nadeel, waar Rolf in zijn vluchtige gedachten overheen moest hebben gekeken, van het hebben van geld? Als geld niet gelukkig zou maken, zou het op zijn minst verdomd goed kunnen helpen.

Rolf verliet zijn overpeinzingen en streek over zijn gladgeschoren kin.

'Jij hebt dus niets met Paul gehad?'

Ze schudde haar hoofd.

'Niets. Ja, seks dus. Eén keer seks. That's it. Een seksaffaire met een jonge knaap, hoe prettig dat ook kan zijn, is geen medicijn tegen eenzaamheid, Rolf. En bovendien: Paul was Lot's vriendje. Een toyboy. Dat wist iedereen in 't Gooi. Paul was van Lot. Zo was het ook echt: hij wás van haar. Hij deed alles wat ze wilde. Hij kon wel leuk tennissen, dus Lot regelde ook dat baantje voor hem, bij die tennisclub. Die was ook van haar, die club. Mocht ie les geven aan al haar vriendinnen en kennissen. Kon ze lekker pronken met hem. Hij zag er goed uit, moet je weten. Een echte adonis. Lange gozer. Blonde krullen. Helblauwe ogen. Goed lijf. Heerlijk joch. Ik heb ook best van hem genoten hoor, die ene keer. Dat deed ze wel vaker trouwens: Paul uitlenen of verhuren aan vriendinnen en bekenden. Bij jou doet ze dat blijkbaar ook. Waarom ze dat doet weet ik niet. Ik heb bij haar altijd het idee dat het haar manier is om te pronken. Zo van: 'kijk eens wat ik heb'. Dan leende ze hem uit aan één van ons om te laten zien dat zij zijn baas was. Dat zij zoveel controle over hem had dat hij zelfs op haar verzoek met andere vrouwen sliep. Machtspelletjes: haar favoriete tijdverdrijf. Ze is een rare, die Charlotte.'

Rolf sloot voor even zijn ogen en wreef met zijn linkerhand een paar tellen lang in zijn linkeroog en over zijn neus heen. Hij zuchtte zachtjes. Terwijl hij Carmen hoorde praten begon hij te beseffen dat hij Paul 2.0 was. De nieuwe Paul. Paul's opvolger.

'En toen kwamen die bikers. Die motorrijders. Waarom dat was weet ik niet. Zoals ik het begrepen heb was Pieter het geflikflooi zat.' Carmen keek peinzend voor zich uit. 'Dat heb ik dus nooit zo begrepen om eerlijk te zijn. Pieter was altijd… hoe zal ik het zeggen… als was in Lot's handen. Zij kon alles flikken, alles doen. En toen ineens was hij het zo zat dat hij twee man inhuurde om haar lover af te ranselen en om even later de scheiding aan te vragen. Dat had ik dus nooit achter hem gezocht, dat soort daadkracht richting Lot.'

'Waar is Paul nu?'

Carmen haalde haar schouders op.

'Geen idee. Ik denk dat hij terug is naar waar hij vandaan

kwam. Ergens in Friesland. Maar waar precies weet ik ook niet hoor. Ben daar nooit geweest. Ik heb hem in ieder geval nooit meer in 't Gooi gezien na die afranseling. Je zou het aan Lot moeten vragen, misschien dat zij weet waar hij uithangt.'

Rolf keek nadenkend voor zich uit en nam peinzend een slok van zijn inmiddels doodgeslagen bier. 'Hoe heet Paul van zijn achternaam?'

'Van Amersfoort. Paul van Amersfoort. Hoezo wil je dat weten?'

'Zomaar,' mompelde Rolf als antwoord. 'Zomaar.'

Later die avond, op kamer 618, vroeg Carmen of Rolf zich voor haar wilde ontkleden. Hij grinnikte. Zij vroeg waarom.

'Omdat ik me altijd maar uit moet kleden. Ik dacht altijd dat mannen opgewonden werden van naakte vrouwen, maar dat vrouwen zelf helemaal niet zo opgewonden raken van blote mannenlichamen. Nou, ik kan je vertellen; de praktijk wijst heel wat anders uit.'

Nu was het haar beurt om te lachen.

'Ik mag jou wel, Rolf Derks. Je bent een goed joch. Maar je snapt helemaal geen bal van vrouwen.'

Hij haalde zijn schouders op.

'Vrouwen van een bepaalde leeftijd, en ik hang daar zeker geen getal aan vast, vinden niets opwindender dan een man die zich voor hen uitkleedt. Je hebt wel een beetje gelijk hoor, het is niet zo dat ik begin te kwijlen van een blote torso of van een erect lid, maar het gaat om het moment. Om de situatie. Het is het ontkleden zelf, dat opwindt. Het ontkleden op verzoek, snap je.'

Rolf schudde langzaam zijn hoofd.

'Ik - oudere vrouw - vertel jou - jonge adonis - wat jij moet doen en je doet het. Er is weinig meer opwindend dan dat voor een vrouw van mijn... hoe zeg ik dat zonder het te hebben over mijn leeftijd... van mijn status. Het feit dat ik dan zo direct een volkomen naakt, gespierd, afgetraind lichaam voor me zie, is niet meer dan een bonus. Een stimulerende bonus, dat wel, maar toch slechts een bonus. Dus gelieve je nu maar snel voor me uit te kleden. Vort!'

Hij luisterde ditmaal met een glimlach en ontkleedde zich voor haar.

'Ze heeft je gebrandmerkt zie ik,' Carmen wees in de richting van Rolfs schouder, naar de tatoeage. 'Is wel handig. Aan wie ze je ook uitleent: zo kunnen we in ieder geval nooit vergeten van wie die vent met dat lekkere lijf nou eigenlijk is!'

Ze schoot in de lach, niet zozeer om haar opmerking of om de tatoeage, maar meer om Rolf die met een beteuterd gezicht naar zijn eigen schouder stond te gluren.

'Kom eens hier jij, lekker ding van me,' lachte ze hem toe.

Hij ging naast haar zitten, op de punt van het bed en ze knuffelden. Ze knuffelden intens.

'Hoe komt het toch, lieve naïeve Rolf,' zei ze terwijl ze elkaar loslieten, 'dat zo'n jongen als jij hier in die verdorven wereld van de Gooische Vrouwen terecht is gekomen? Daar ben jij toch helemaal niet tegen opgewassen, lieverd. Dit is niet de gewone wereld. Die gewone wereld, weet je nog, dat was die verrotte wereld. Die met dat faillissement en met die huurachterstand.'

'En een bed,' mompelde Rolf, 'waar de latten onderuit vielen tijdens de seks.'

Ze lachte. Of beter gezegd: ze gierde zelfs.

'Echt waar? Oh, wat erg zeg!'

Nu moest hij ook lachen, zij het een soort van cynische lach.

''t Gooi, moet je weten,' zo zei ze toen ze uitgelachen was, 'is een soort van parallelle wereld die diep verscholen achter kostbare poorten ergens midden in de gewone wereld verzeild is geraakt. Daarom staan al die hekken en poorten hier ook voor de huizen: om de gewone wereld vooral lekker ver weg te houden en om alles dat we niet willen zien buiten te sluiten. Dit is een wereld waar niemand een tuin heeft, maar een landgoed. Waar geen tuinhek staat, maar een toegangspoort. Waar je je twaalf jaar oude Volkswagen niet hoeft te file-parkeren om de hoek, maar waar je de Jaquar statig over de oprijlaan heen rijdt. Het lijkt allemaal zo geweldig, beste Rolf, maar deze parallelle wereld is net zo verrot als de jouwe. Heus. En waarschijnlijk nog veel verrotter, want hier is alles nep.'

Rolf vroeg waarom ze dan niet weg ging.

'Heb ik toch geprobeerd, weet je nog. Toen in Amsterdam. Maar ik ben een Gooisch meisje. Ik hoor hier. Dit is mijn thuis. Ik ben net zo verrot als al die anderen. Ik zit hier nu toch ook met jou? De vent van een ander. Zegt alles over mij. Ik ben net zo nep als alles hier.'

'Waarom doe je dat dan? Waarom heb je mij laten komen?'

'Vermaak, schat. Ik vermaak me met jou. Niet alleen de seks hoor, zo erg ben ik ook weer niet, maar ook de tijd die we samen doorbrengen. Vermaak is beter dan verveling. Maar je moet me ook helemaal niet vragen waarom ík niet weg ga. Je moet je nou eens heel goed achter de oren krabben en nadenken over waarom jíj niet weg gaat.'

38

Hij stond voor de regelkast van de zwembadinstallatie. Er brandde een rood lampje en op het display stond te lezen: pmp 05 err. Rolf drukte op een reset-knop. Even verdween de tekst op het display en doofde het rode lampje maar na een paar seconden kwamen ze beiden weer terug.

'Pomp staat stil,' mompelde Rolf in zichzelf.

Net waar hij geen zin in had. Zijn hoofd zat nog vol met alles dat Carmen hem verteld had, en dat hele verhaal met die Paul zat hem totaal niet lekker. Al die tijd had hij Charlotte vertrouwd, was er een diepe bewondering voor haar geweest, een adoratie zelfs, maar de twijfel had stevig toegeslagen na de ontmoeting met Pieter. Het openhartige gesprek met Carmen had de bewondering doen afnemen en het vertrouwen laten verdwijnen.

Hij stond in zijn zwembroek klaar om ter ontspanning een paar baantjes in het zwembad te gaan trekken, toen hij op de storing stuitte. Rolf had wel enigszins verstand van dat soort zaken, hij was immers technisch geschoold. Maar of hij de pomp kon maken wist hij niet. Soms, zo was zijn ervaring, ging een pomp al weer draaien als je er een paar beuken op gaf, maar als hij het echt niet meer deed, zou hij hem waarschijnlijk niet zelf kunnen repareren of vervangen. Dan zou er geheid iemand bij moeten komen. Rolf besloot toch maar even een kijkje te gaan nemen, kleedde zich aan en ging het nodige gereedschap halen.

Hij drentelde wat door de technische ruimte heen, volgde wat leidingen en zag al snel dat hij onder de vloer moest wezen. Rolf trok het kruipluik open, scheen een paar tellen met een zaklamp de kleine ruimte in en liet zich er inzakken. Gehurkt zat hij in de opening en scheen met de lamp op wat leidingen om te zien waar ze heen liepen. Op handen en voeten, en met de zaklamp in zijn mond, kroop hij naar de plek waar hij dacht te moeten zijn. Even later vond hij pomp 05. Een toevoerpomp. Ook hier brandde een rode lamp. Rolf schroefde het aansluitkastje open, pakte de duspol uit zijn gereedschapkist en keek of er nog spanning op de pomp stond. Dat stond er. Rolf zuchtte. Hij schroefde het aansluitkastje weer dicht, pakte de Engelse moersleutel en gaf een paar flinke beuken net voor en net voorbij de pomp. Bij de laatste beuk hoorde hij de pomp weer aanslaan.

'Yes,' fluisterde hij in zichzelf. 'Die doet het weer even.'

Hij controleerde nog wat, deed daarna zijn gereedschap terug in de kist en scheen met de zaklamp naar achteren. Hij kon het luik waar hij door binnengekomen was niet zien. Hij keek om zich heen en zag even verderop een flauw lichtschijnsel. Met de lamp scheen hij die richting uit en zag dat het schijnsel afkomstig was van een ander kruipluik, waarvan de naden wat flauwe lichtstralen doorlieten vanuit de kamer die erboven lag. Rolf bedacht zich dat dat luik dichterbij was dan degene waardoor hij binnen was gekomen, en besloot om de kortste route te nemen. Het scheelde allicht een stukje kruipen.

Hij beukte even later met zijn schouder tegen het luik, dat na een paar pogingen al van zijn plek af kwam. Met zijn handen schoof Rolf het luik verder open, waarna hij een paar keer knipperde met zijn ogen om te wennen aan het felle licht. Hij pakte zijn gereedschapskist en schoof deze de vloer van de kamer op. Hij stond nu in de opening en keek om zich heen. Aan zijn rechterkant stond een bureau, met daarop een flink aantal monitoren, die Rolf vanaf de achterkant zag. Hij plantte zijn handen plat op de vloer en duwde zichzelf omhoog de kruipruimte uit. Twijfelend liep hij naar de beeldschermen toe.

Hij zag actuele beelden van diverse kamers in het huis. De monitoren veranderden om de zoveel tijd van beeld.

'Beveiligingscamera's,' fluisterde hij in zichzelf.

Toen viel zijn oog op het beeld van zijn eigen lege huiskamer. Zijn mond kierde open. Na een paar seconden versprong het beeld naar zijn slaapkamer, daarna naar de keuken, toen weer naar de huiskamer. Hij streek over zijn mond en slikte kort. Hoe meer hij naar de monitoren staarde hoe meer bekende ruimten hij langs zag komen. Hij zag de lounge van het hotel, hij zag beelden van hotelkamer 618, hij zag zelfs de badkamer van 618, de sportschool, alles. Alles! Zelfs de A3 kwam langs! Hij zag alle ruimten waarin zijn leven met Charlotte zich afspeelde.

Toen Rolf van de eerste verbazing bekomen was kroop hij achter de pc. Hij klikte op wat bestandjes en zag een aantal malen zijn eigen naam terugkomen met data erbij. Hij klikte op de map 'Rolf120911' en sloeg zijn hand voor zijn openstaande mond toen hij even later zag hoe hij in zijn woonkamer met zijn laptop op schoot zat te internetten. Hij opende een ander mapje: seks met Charlotte. Volgende map: Rolf onder de douche. Nog één: Rolf in de sportschool. Rolf in een innige pose verwikkeld met Carmen. Rolf zittend. Rolf slapend. Rolf in de auto met AngelaAlkmaar!

Hij liet zich achterover vallen in de bureaustoel en sloeg zijn handen tegen zijn voorhoofd aan. Alles was opgenomen. Álles. Zijn hele leven met Charlotte was vastgelegd op beeld. De meest intieme momenten. Big Brother zonder hoofdprijs. Daarom had zij voorgesteld dat hij in het tuinhuisje zou komen wonen, zodat ze voortaan alles in de gaten kon houden. Zijn werk op de sportschool. Zijn leven in het tuinhuisje. Zijn seks met de andere vrouwen op kamer 618. Al zijn ritjes in de A3. Alles zag ze van hem. Alles wist ze van hem. Alles. Alles. Alles. Zij had alles geregisseerd. Zelfs de momenten waarvan hij dacht dat hij alleen was, was hij nooit werkelijk alleen geweest. Zij, Charlotte, had altijd met hem meegekeken.

Rolf richtte zich weer op, toen zijn oog op een map viel met de naam: 'Paul'. Hij dubbelklikte erop en zag tientallen mapjes in beeld verschijnen met de naam Paul erop, gevolgd door een datum. Twijfelend en niet op zijn gemak opende Rolf zo'n map. Hij zag Paul neukend met een voor Rolf onbekende vrouw. Hij opende een volgende map en zag Paul languit liggen op een bank. Nog een map: Paul op de tennisbaan. Paul met Charlotte. Paul pratend met Balou. Paul lachend. Paul zittend. Paul schoffelend in de tuin. Paul volkomen stil liggend op de grond, bloedend, gewond.

Met een ruk stond Rolf ineens op. De bureaustoel viel met een doffe klap achterover op de grond. Hij hoorde zichzelf zwaar ademen. Even bleef hij staan en liet zijn ogen onrustig over de diverse beeldschermen heen schieten. Daarna pakte hij zijn gereedschapskist van de grond op en liep de geelmetalen wenteltrap op richting het plateau waar de deur zat. Het blikken geluid van zijn schoenen op de trap was al wat hij hoorde. Hij rommelde wat aan de deurknop maar deze was afgesloten. Geen mogelijkheid om hem van binnenuit open te krijgen. Zuchtend liep Rolf de trap weer af naar beneden. Even bleef hij staan en keek om zich heen. Daarna liet hij zich opnieuw zakken in de kruipruimte en verdween onder de grond.

39

Tennisclub Ingooi was die ochtend druk bezet. Op iedere baan waren fanatieke en zweterige dames- en herentennissers bezig. Rolf hoorde felle commando's geschreeuwd worden als: 'los!' 'voor mij!' 'blijf jij er dan ook vanaf, mens!' of zelfs 'die had je toch moeten hebben, trut!'. Even bleef Rolf staan kijken. Hij zag twee buikige kerels in smetteloos wit, dat enkel gebroken werd door het logo van de sportfabrikant en de zweetplekken onder de oksels. Hangerig en hijgerig leunden ze tegen de hekken en probeerden het ondertussen aan te leggen met twee aanmerkelijk jongere vrouwen, die er op een vileine manier op gewezen werden dat de knoopjes van die blouses wel wat meer open konden en die rokjes wat omhoog. De meiden lachten ongemakkelijk, en zochten naar een weg om er ongemerkt tussenuit te piepen, terwijl de zweterige middelbaren elkaar op de schouders sloegen van de stoere praat.

Tennisclub Ingooi. Het bracht eigenlijk alle elementen die 't Gooi zo kleurden op één terrein samen: dure auto's, koude kak, platvloerse humor, mooie meiden, en seks - of in ieder geval een verwoede poging daartoe.

Rolf liet de banen achter zich en liep door naar het hoofdgebouw. Achter de balie van de receptie zat een blondine van hooguit 20 jaar. Ze kon lief lachen, zo zou Rolf snel ontdekken, maar zou zich in haar leven vooral moeten richten op het uitbuiten van haar uiterlijkheden en vooral niet te veel hoop moeten koesteren dat zij het met haar intelligentie af zou kunnen.

'Hoi,' zei Rolf en stak zijn hand uit naar haar. 'Ik ben Rintje.' Het was de eerste mannelijke Friese naam die in hem op was gekomen.

'Hoi Rintje,' glimlachte ze met guitige kuiltjes in haar wangen terug.

'En hoe heet jij?'

'Cindy.'

'Cindy,' herhaalde Rolf. Ze knikte. 'Vind ik wel bij je passen: Cindy.'

'Hoezo?'

'Nou gewoon: een Cindy hoort blond te zijn en slank en… naja, Cindy klinkt sexy, dus dan verwacht je ook iets bij zo'n naam. En in dit geval… komt die verwachting meer dan uit.'

Ze lachte met een lach die aangaf wel gewend te zijn aan complimenten over haar uiterlijk.

Ze vroeg of hij lid wilde worden.

Rolf grijnsde. 'Naa, ik ben geen tennisman. Meer voetbal. Autoracen. Stoere, mannelijke sporten. Ik ben ook niet van hier, hè.'

'Waar kom je dan vandaan?'

'Friesland.'

'Friesland?'

Hij knikte bevestigend.

Ze fronste haar wenkbrauwen.

'Ik ken een Fries en die praat echt compleet anders dan jij doet.'

'Ken jij een Fries?'

Nu was het haar beurt om bevestigend te knikken.

'Waar ken jij die Fries dan van?'

'Werkte hier vroeger.'

'Werkte hier, in 't Gooi, een Fries?'

Weer knikte ze.

'Ja, Paul heette hij. Paul.'

'Geen Friese naam.'

Ze haalde haar schouders op.

'Was ie wel.'

'Maar hij praatte anders dan ik?'

'Heel anders.'

'Dan kwam hij waarschijnlijk uit een andere streek. Waar woonde hij dan?'

'Eh… poeh… heeft ie wel eens gezegd, maar ik weet zo even niet meer wat. Maar jij? Waar kom jij vandaan dan?'

'Sneek. Een echter Sneker ben ik. Of Snekenaar.'

'Zegt me niks.'

'Ben je wel eens in Friesland geweest?'

De kuiltjes verschenen weer in haar wangen.

'Ik ben zelfs nog nooit buiten 't Gooi geweest, geloof ik.'

'Dus je weet niet waar die eh, Paul was het geloof ik, woonde.'

Ze schudde haar hoofd.

'Zoveel onthoud ik allemaal niet, hoor.' Achter haar kwam een wat oudere collega binnenlopen die vriendelijk naar Rolf knikte ter begroeting.

'Sas,' zei Cindy tegen haar, 'weet jij waar Paul ook al weer vandaan kwam?'

'Bolsward.'

'Bolsward, ja, dat was het.'

'Bolsward,' herhaalde Rolf.

'Bolsward.'

'Thanks,' zei hij enigszins in gedachten. Hij wilde zich omdraaien en weglopen, toen Cindy zei: 'Maar waar kwam je eigenlijk voor?'

'Eh, voor eh... nou ja, ik zag je zitten en, nou, ik wilde gewoon even met jou praten. Weten hoe je heet en of je van die guitige kuiltjes zou hebben als je moet lachen. En die heb je.'

Ze lachte.

'Zie je, daar zijn ze weer! Ik denk dat ik me hier eerdaags toch maar eens aan moet gaan melden.'

Zwaaiend verliet hij gehaast de tennisclub. Hij had andere dingen te doen.

Hij ging rechtstreeks naar een internetcafé in Hilversum. Thuis, zo wist hij inmiddels, kon hij immers niets doen zonder dat het gezien werd. Hij was op de fiets gekomen, want ook de Audi was niet safe. Hij had niets meer voor zichzelf. Alles was van haar en zij was alom aanwezig.

Rolf sloeg een glas bier in één teug achterover, opende Facebook en logde in onder zijn eigen account. In de zoekbalk tikte hij 'Paul van Amersfoort' in. Slechts twee zoekresultaten op die naam. De eerste had een profielfoto van een kindje. Woonplaats

Oss. Dat was niet de Paul die hij zocht. De tweede kwam uit Zeist en had kort geschoren zwart haar. Geen blonde krullen. Bovendien was hij te jong. Weer mis.

Rolf ging even achterover zitten en gebaarde naar de barman of hij nog een biertje kon krijgen. De barman stak zijn duim op. Rolf opende Google en tikte tussen haakjes opnieuw de naam in. De eerste zoekresultaten waren de Facebooklinks, daaronder stonden wat Linkedin-profielen en éénmaal een Hyves-profiel, allemaal van dezelfde Paulen. Verder kwam Google niet dan een aantal Paulen die in Amersfoort woonden of werkten.

De barman knikte terwijl hij een vers biertje op Rolfs tafel zette. Rolf knikte gedachteloos terug. Hij opende het digitale telefoonboek en typte bij de gezochte naam 'Van Amersfoort' in en bij de gezochte plaats 'Bolsward'.

Slechts twee hits. Ene H. van Amersfoort en ene P.T. van Amersfoort. Rolf stond op, liep naar de barman en vroeg om pen en papier. Hij schreef de adressen en telefoonnummers over, slokte het bier gretig naar binnen, rekende af en verliet de tent.

Peinzend liep hij enkele minuten lang ijsberend over straat. Mobiele telefoon in zijn ene hand, de adressen in de andere. Hij belde het eerste nummer; die van H. van Amersfoort. Er werd niet opgenomen. Daarna belde hij het tweede nummer; P.T. van Amersfoort. Na drie keer overgaan werd deze wel opgenomen door een vrouw met een zwaar Fries accent. Rolf kon zelfs haar naam slechts met moeite verstaan.

'Goedemiddag. Mijn naam is Rolf Derks. Ik ben op zoek naar Paul. Paul van Amersfoort. Is hij thuis?'

Even bleef het stil aan de andere kant. Rolf hoorde slechts wat gefluister op de achtergrond.

'Van Amersfoort,' klonk ineens een norse mannenstem.

'Goedemiddag meneer. Ik ben op zoek naar Paul.'

'Ken geen Paul. Gegroet.'

Verbinding verbroken. Rolf knarsetandde kortstondig. Vreemd. Vreemd vond hij de reactie van de vrouw, en later de man. Hij vroeg zich af wat nu te doen. Naar huis wilde hij niet. Absoluut niet. Hij kon niet meer terug naar het huis waar hij 24 uur per dag gemonitord werd. Waar alles wat hij deed opgenomen, bekeken en beluisterd werd. Naar huis gaan was, nu niet en vermoedelijk nooit meer, een optie. Bovendien moest hij eens en voor altijd weten hoe het met Paul was afgelopen. Paul, zijn voorganger. De man wiens leven Rolf nu compleet had overgenomen. Rolf begon zich steeds meer af te vragen of Paul inderdaad afgetuigd was door de twee mannen in opdracht van Pieter. Carmen leek daar van overtuigd. Maar Rolf was er niet meer zo zeker van.

Alles, alles was immers vooropgezet geweest. Dat wist Rolf inmiddels wel zeker. Vanaf het moment dat Lot en hij elkaar ontmoet hadden bij Darla thuis, had Charlotte besloten dat hij de nieuwe Paul moest worden.

Langzaam, heel langzaam, had zij zijn hele privé-leven leeggezogen en overgenomen. Het huis. De baan in de sportschool. De auto. De seks in kamer 618. Alles had zij hem gegeven om totale controle over zijn doen en laten te krijgen. Om altijd en overal te weten wat hij zou doen en waar hij zich mee inliet. Hij vroeg zich af waarom. Waarom had zij zijn leven volledig overgenomen? Met welk doel? Welke reden?

Rolf stapte op zijn fiets en reed naar het station. Bij de automaat kocht hij een retourticket Bolsward. Lange rit. Dure rit. Meer dan 40 euro. En overstappen, veel overstappen. Eerst van Hilversum naar Amersfoort. Dan overstappen in de trein naar Zwolle. Van Zwolle door naar Heerenveen en vervolgens met de bus naar Bolsward. Alles bij elkaar een reis van ongeveer twee uur en drie kwartier. De middag was net begonnen, dat scheelde, Rolf zou ergens in de avond weer terug kunnen zijn.

H. van Amersfoort woonde in een rijtjeshuis. Een redelijk eenvoudig rijtjeshuis. Recht opgetrokken jaren '70 woning zonder veel opsmuk. Rolf belde twee keer aan, maar niemand deed open. Naar binnen kijken was niet mogelijk want de ouderwetse en vale gordijnen waren stijf gesloten. Rolf zuchtte terwijl hij de kleine voortuin weer uitliep en op zijn briefje keek naar het tweede adres. Was niet veel verder. Kwartier lopen. Hooguit.

P.T. van Amersfoort woonde op een boerderij. Niet heel groot.

Hoewel het woonhuis weliswaar oud was, was het in redelijke staat, maar de bijgebouwen zagen er vervallen en armoedig uit. Rolf wandelde langzaam het erf op. Vleugjes vers gemaaid gras dwarrelden verfrissend zijn neus binnen. Een grindpad leidde naar de voordeur. Geen bel. Rolf klopte drie keer zachtjes op de voordeur en deed een stap naar achteren. Niemand deed open. Even vreesde Rolf dat hij helemaal voor niks dat roteind naar Friesland had afgelegd, toen ineens de vitrage voor het raam bewoog en hij een oude, grijze man door het raam zag gluren. Rolf stak vriendelijk zijn hand op. Even bleef de man staan kijken, toen verdween hij weer achter de vitrage. Een halve minuut later verscheen hij in de deuropening.

De oude man was klein van stuk en liep enigszins voorover gebogen. Hij droeg een blauwvale overall en groene kaplaarzen. Zijn nog resterende witgrijze haren staken warrig uit zijn ruwe en geschaafde schedel. Een bijna opgerookt shaggie zat ingeklemd tussen zijn gebarsten lippen. Zijn handen waren enorm en niet in verhouding tot zijn kleine gestalte. Bovendien waren ze smerig en uitgerust met diepzwarte nagelranden.

Rolf slikte even, verzamelde in een paar tellen wat moed, en vroeg toen op vriendelijke toon: 'Goedemiddag meneer. Mijn naam is Rolf Derks. Ik ben op zoek naar Paul. Paul van Amersfoort.'

De man zweeg en nam Rolf van top tot teen goed in zich op.

'Paul en ik zijn vrienden,' loog Rolf. 'Of in ieder geval, we wáren vrienden. Zijn elkaar uit het oog verloren. Nu ben ik op zoek naar hem. Weet u waar hij is?'

Nog steeds zweeg de man.

'Het is belangrijk, meneer. Erg belangrijk.'

'Belde u vanmiddag ook al?'

Rolf knikte.

'Paul woont hier niet meer.'

Bingo, dacht Rolf, terwijl hij een tinteling van binnen voelde. Ze wisten in ieder geval wie Paul was.

'Weet u waar hij wel woont?'

Na een paar tellen schudde de man zijn hoofd.

'Wanneer heeft u hem voor het laatst gezien?'

'Luister,' beet de man Rolf onvriendelijk en dwingend toe. 'Paul is onze zoon niet meer. Hij wilde het boerenleven niet. Hij moest naar het westen. Zou het wel even gaan maken in de grote stad daar ergens. Dit alles was niet goed genoeg voor meneer. Een jaar of acht geleden is hij vertrokken. Met bonje. Als je ziet wat hij moeders heeft aangedaan… ik zeg je: hij is hier niet welkom meer. Nooit meer.'

'Jaring,' klonk een vrouwenstem ineens uit de gang. 'Jaring, wie is die meneer?'

De man keek met kleine, geknepen oogjes naar Rolf.

'Niemand, vrouw. Die meneer is niemand.'

Met een doffe dreun viel de deur dicht. Even nog bleef Rolf naar de gesloten deur kijken, terwijl hij twee kibbelende stemmen langzaam hoorde wegsterven.

Hij draaide zich om. Even langzaam als dat hij richting de voordeur was gelopen, liep hij nu weer van het erf af. Toen hij zich een laatste keer omdraaide zag hij nog net hoe de vitrage dichtviel. Rolf haalde diep adem en stak een sigaret op. Het enige dat hem nu nog restte was een lange reis terug naar huis.

Voorbij Zwolle liet Rolf zijn hoofd tegen het raam aanvallen en sloot voor even zijn ogen. De schemer viel in. Flarden aan gedachten vlogen warrig en zonder logische volgorde door zijn hoofd heen. De woorden van Carmen. De kapotte pomp. De controlekamer van Lot. De ontmoeting bij Darla. De zoektocht naar Paul. Paul, Paul, Paul. Dat hele Paul-verhaal zat hem niet lekker. Hij wist zeker dat het niet goed afgelopen was met Paul. Afgetuigd. Niet zoals Carmen had gezegd in opdracht van de bedrogen echtgenoot, maar, zo wist Rolf nu vrijwel zeker, in opdracht van Charlotte zelf.

'Angela,' Rolf sprak de naam op luide toon uit, toen de gedachte aan haar ineens zijn hoofd binnen fladderde. Hij schoot naar voren in zijn stoel. De man naast hem keek geïrriteerd op vanuit zijn krant. In de controlekamer had hij beelden gezien van AngelaAlkmaar. En dus had Charlotte die ook gezien. Dat hij daar niet eerder bij stil had gestaan! Angela, die bij Rolf in de auto had gezeten. Angela, die zo ernstig ziek was. Angela, met wie

190

Rolf had afgesproken om seks te hebben, hoewel ze nooit zover waren gekomen. Zij, Charlotte, wist alles van Angela. Rolf voelde zijn maag verkrampen. Als Charlotte wist van Angela, liep hij gevaar. Nooit of te nimmer zou Charlotte de vreemdsoortige, maar sterke verwantschap tussen hem en een andere, onbekende vrouw accepteren. Hij had aan den lijve ondervonden hoe Lot reageerde op andere vrouwen na het kortstondige contact met Mariska of na zijn onschuldige kroegpraat met Ana. Rolfs ademhaling versnelde en verzwaarde tegelijk. Hij liet zich terug achterover vallen in zijn stoel en sloeg beide handen voor zijn ogen.

40

Met een tergend laag tempo vanwege de karrenvracht aan lood in zijn schoenen fietste Rolf terug naar huis. Of eigenlijk naar Charlotte's huis. Alles in zijn leven was immers van haar. Er was niets meer van hem. Niets. Zijn leven was niet meer dan het leven dat Charlotte voor hem bedacht had. Het ergste was nog, dat hij er, door een soort van absurde obsessie, zelf volledig aan had meegewerkt. Hij had zijn eigen leven cadeau gedaan aan een vrouw die hij nog niet eens zo heel lang kende.

Het was inmiddels volledig donker. De wind stak wat op. Nog een paar minuten, dan was hij thuis. Hij draaide de Naarderweg op en zag verderop twee motoren staan. Viel hem meteen op. De twee berijders stonden ernaast. Eentje had zijn helm nog op. Van de ander zag Rolf niet meer dan het oplichten van een sigaret in het donker. Het kwam hem voor dat ze overdreven hun best deden om vooral niet naar de voorbij fietsende passant te kijken. Rolf wist meteen wat zij daar deden. Dit was het dan. De twee motorrijders stonden handenwrijvend klaar. Eerst Paul, nu hij. Hij moest boeten, bloeden zelfs, voor Angela. Even dacht hij erover om door te fietsen, om niet naar binnen te gaan. Maar dat zou niets oplossen. Zij zouden hem blijven volgen tot ze hem hadden. Daar zou Charlotte wel voor zorgen. En bovendien, waar zou hij heen moeten? Hij had niets meer. Van alles had hij vrijwillig afstand gedaan. Hij had geen huis meer. Met zijn ouders liep het stroef en zijn vrienden had hij al maanden niet meer gesproken. Hij had simpelweg niets anders meer dan het leven dat Charlotte voor hem had uitgedacht. En dus fietste Rolf terug naar het verrotte leven dat het zijne niet was.

Zijn trap versnelde wat. Hij reed het erf op en fietste rechtstreeks naar het tuinhuisje. Toen Rolf de sleutel in het slot stak keek hij spiedend over zijn schouder heen. Hij zag niks. Hoorde ook niks. Rolf liet de deur achter zich dichtvallen en bedacht zich dat vanaf dat moment alles wat hij deed door haar gezien zou kunnen worden vanuit die duivelse controlekamer.

Hij moest ineens denken aan een film die hij ooit had gezien, met Sharon Stone in de hoofdrol. Silver of Sliver of iets in die geest. Eén of andere gestoorde gek had Stone's hele leven gefilmd en dat van de andere bewoners in de flat. Rolf vond dat concept destijds nogal vergezocht. Zoiets gebeurde alleen in Hollywood. Nooit in het echt.

Hij liet het licht uit. Dat kon schelen. In de hal stond de gereedschapskist nog. Nadat hij de haperende pomp weer had gemaakt had Rolf deze vlak achter de voordeur neergezet. Hij keek om zich heen. Geen camera te zien. Al waren ze er wel. Dat was net zo zeker als dat hij er zelf was. Hij bukte vlak naast de gereedschapskist. Trok de veters van zijn schoenen los. Pakte zonder geluid te maken en met een snelle beweging een schroevendraaier. Toen stond hij weer op en liep door naar de keuken. Hij nam een glas uit de kast en liet de kraan lopen. Met een paar vlotte teugen slokte hij twee glazen water weg. Daarna liep hij door naar de slaapkamer, knipte het licht aan, ontdeed zich met een paar vlotte bewegingen van zijn kleren, knipte het licht weer uit, en ging in bed liggen. In zijn rechterhand onder de dekens voelde hij de schroevendraaier. De wekker naast het bed gaf 23:04 aan.

Rolf sloot zijn ogen en bleef doodstil liggen. Alsof hij sliep. Hij probeerde te luisteren. Er viel niets te luisteren. De inmiddels voor hem bekende Gooische Stilte viel over hem heen. Hij vroeg zich af of Lot nu in de controlekamer zou zitten. Of Balou misschien. Wat was zijn rol in het geheel? Was hij soms medeplichtig aan dit alles? Wist hij overal van? Had hij eraan meegewerkt? Of wist hij misschien ook van niets? Was hij misschien al die jaren ook overgeleverd geweest aan de grillen van zijn bazin? En wat wist Balou van Paul? En waar wás Paul verdomme? Dát moest Rolf weten. Dát was precies hetgeen Rolf uit moest zien te vinden. Waar was Paul van Amersfoort? Waarom was hij zomaar ineens vanuit 't Gooi verdwenen in het niets?

Volgens de wekker lag hij daar een minuut of veertig, voor zijn gevoel waren het uren. Ineens hoorde hij gemorrel aan de voordeur. Het ging beginnen. Hij haalde diep adem, verstevigde de grip rond de schroevendraaier en sloot zijn ogen. Zachte geluiden kwamen naderbij. Hij vermoedde dat Charlotte in de controlekamer zat. Die had hem waarschijnlijk veertig minuten lang in de gaten gehouden en toen hij lang genoeg had gedaan alsof hij sliep had ze het signaal gegeven dat de jongens konden beginnen.

De slaapkamerdeur gaf een korte, zachte piep toen hij open ging. Het hout van de vloer kraakte zacht onder de voeten van de insluipers. Rolf spiedde in het donker door de kieren van zijn ogen. Twee schimmen gingen naast hem staan. Eentje links, de andere rechts. De linkerschim gebaarde iets naar de rechterschim.

Met een kille schreeuw schoot Rolf ineens omhoog en boorde de schroevendraaier woest in de keel van de linker overvaller. Deze greep ogenblikkelijk naar zijn strot, krijsend van pijn. Bloed spoot het bed onder. De jongen zeeg ineen. De tweede aanvaller stond een seconde of twee als bevroren aan de grond genageld. Met zijn linkervuist ramde Rolf vol op zijn kaak. Hij viel achterover en kletterde tegen de openstaande deur aan. Rolf sprong uit zijn bed, boven op de overvaller, en deelde een paar rake vuistslagen uit op diens gezicht. De onbekende man sloeg terug. Rolf werd op zijn oog geraakt. De aanvaller duwde Rolf van zich af. Hij probeerde op te staan om weg te rennen, maar Rolf pakte hem schreeuwend bij zijn enkels vast en trok hem terug. Met een ferme ruk trok hij de lamp van het nachtkastje af en sloeg deze kapot op het hoofd van zijn belager: directe knock-out.

Rolf krabbelde omhoog en voelde aan zijn oog; schade viel mee. Hij hoorde zichzelf zwaar hijgen en probeerde zijn ademhaling te reguleren. Zijn handen trilden. Zo moest Sharon Stone zich hebben gevoeld. Hij greep de overvaller vast die in de deuropening was blijven liggen en tilde hem op het bed. Hij

194

sloot de slaapkamerdeur achter zich. Even keek hij om zich heen en zag de kast in de gang staan; precies wat hij nodig had. Met moeite schoof hij de kast voor de deur. Dat zou ze wel even tegenhouden. Daarna liep hij naar buiten, de tuin in, sloot de luiken van de slaapkamerramen en schoof de balk ervoor. Die twee konden er voorlopig niet meer uit.

41

Wat nu te doen? Hij wist vrij zeker dat Charlotte alles gezien had. Ze wist dus ook dat hij zijn aanvallers had afgeslagen en ze wist dat hij ze opgesloten had. Rolf bedacht zich dat de wc zijn beste optie was. De enige kamer waar hij geen beelden van had gezien. Geen camera. Wel een kruipluik. En dat was precies waar Rolf wezen moest: in de kruipruimte. Hij moest hopen dat de kruipruimte onder het tuinhuis helemaal via de verbindings-gang doorliep naar de villa. Daar, vlakbij de vanmorgen nog gerepareerde pomp, zou hij ongezien de controlekamer binnen kunnen komen via het luik. Rolf ging weer naar binnen, de hal in. Hij pakte zijn Engelse moersleutel, een schroevendraaier en zijn zaklamp. Hij keek naar zijn duspol: een snoer en twee scherpe punten, dat kon ook nog wel eens van pas komen.

Met het gereedschap bij zich gestoken sloot Rolf zich op in de wc. De schroevendraaier stak hij tussen de rand van het luik. Hij wipte het omhoog en zette het tegen de muur aan. Op de rand van het kruipgat bleef Rolf zitten. Hij twijfelde even of hij de politie moest bellen. Er lagen immers twee overvallers opge-sloten in zijn slaapkamer. Aanleiding genoeg om het alarm-nummer te bellen. Hij frommelde de telefoon uit zijn zak. Hij toetste 1-1-2 in, en wilde op 'bellen' drukken, maar deed het niet. Hij twijfelde. Als de politie zou komen zouden ze wellicht de opgesloten kerels arresteren, maar daar had hij niet veel aan; hij wilde Charlotte te grazen nemen. Zij had zijn leven overge-nomen. Zij had alles kapot gemaakt en zij… zij moest nu ook maar eens vertellen wat er met Paul was gebeurd. Bovendien was zij niet aan de overvallers te linken. Er was geen enkel bewijs tegen haar. Als hij nu de politie zou bellen zou zij vol-komen buiten schot blijven. En dat, dat was nou juist het enige dat absoluut niet mocht gebeuren. Rolf stopte zijn mobiel terug in zijn zak en liet zich in de kruipruimte zakken.

Het was er klam en kil. Het duurde even voor hij in het zaklamplicht zijn oriëntatie terug had gevonden. Met de lamp andermaal tussen zijn tanden in geklemd kroop Rolf de kant op waar voor zijn gevoel de verbindingsgang moest zijn. Na even zoeken zag hij een lange gang voor zich. Boven zijn hoofd merkte hij de onderkant van een hele rij aan grondspots op. Op handen en knieën kroop hij de gang door. Aan het einde zat een kruipgat waar Rolf zijn hoofd doorheen stak. Onder het gat zaten een paar ijzeren beugels, die je als trap kon gebruiken, waardoor je verder kon afzakken. Rolf daalde af en stapte een meter of twee, drie lager weer op de grond. Even bleef hij staan om zijn benen te strekken. Hij doofde de zaklamp. Met de batterij kon hij beter zuinig omspringen.

Hij vroeg zich af wat Charlotte nu aan het doen zou zijn. Zou zij, nu hij uit beeld was verdwenen, naar het tuinhuisje zijn gegaan om de overvallers te bevrijden? Zou kunnen, maar hij vermoedde van niet. Charlotte zou zich immers geen seconde om die aanvallers bekommeren. En zij had Balou al bij zich als hulp. Bovendien wist zij niet zeker of hij weg was gegaan. Het laatste dat zij van hem gezien had, was dat hij zich op had gesloten op het toilet. Grote kans dat zij geen idee had dat daar ook een kruipluik zat. Misschien dacht ze wel dat hij daar de politie zou bellen, zoals hij ook daadwerkelijk overwogen had.

Rolf deed de zaklamp weer aan, zakte op zijn knieën en keek om zich heen.

Hij kroop nog wat verder. Een paar minuten later kwam hij uit bij wat, volgens zijn gevoel, het zwembad moest zijn. De onderkant van een enorme, rechthoekige bak. Dikke en geïsoleerde leidingen verdwenen op diverse plekken naar boven. Hij kroop om de bak heen en zag in de verte het leidingwerk zitten waar hij eerder die dag was geweest. Daar ergens, in de verte, waar hij met zijn lamp op scheen, zat de pomp. Niet ver daar vandaan moest het luik zitten dat in de controlekamer uit kwam. Hij kroop snel door. Onder het luik bleef hij zitten. Hij hoorde stemmen. Een zware mannenstem en een overduidelijke vrouwenstem. Charlotte en Balou; dat kon bijna niet anders. Balou was een probleem, die was veel te sterk voor hem. Hij zou dus moeten wachten tot zij alleen was. Hij checkte de tijd op zijn mobiel. 00:53. Hij besloot even te gaan rusten en ging languit liggen.

Tijd verstreek. Af en toe hoorde hij wel stemmen, maar verstaan kon hij het niet. Hij bedacht zich hoe hij zo meteen, mocht Balou Lot alleen laten, haar zou overmeesteren. Hij had twee voordelen: ten eerste wist zij niet dat Rolf van het bestaan van de controlekamer afwist en ook niet dat hij er via de kruipruimte naartoe kon kruipen. Ten tweede zou zij het luik niet kunnen zien als zij achter de monitoren zou zitten. Dat eerste verschafte hem het element van verrassing en het tweede het element van tijd, zij het slechts in zeer beperkte mate.

Het leek hem het beste om haar met de duspol te lijf te gaan. Hij kon het snoer om haar nek wikkelen en de punt aan het uiteinde tegen haar keel aandrukken. Zo zou hij haar in bedwang kunnen houden.

Hij hoorde gerommel boven. De mannenstem zei wat en de vrouwenstem gaf een korte reactie. Dat moest iets zijn als 'ja, oké' of 'is goed', dacht Rolf, of andere woorden van die strekking. Hij hoorde het blikken geluid dat leek op dat wat hij die morgen had gehoord toen hijzelf voor niets de geelmetalen wenteltrap op was gelopen.

Dit moest het zijn. Dit moest het moment zijn om tot actie over te gaan. Rolf ging rechtop zitten, hing de duspol om zijn nek. Voorzichtig voelde hij wat aan het luik. Het gaf mee. Heel langzaam duwde hij het omhoog en keek door het piepkleine kiertje heen. Hij zag niemand. Even schoot het door hem heen dat Lot en Balou samen weg waren gegaan, maar die gedachte zette Rolf al snel uit zijn hoofd. Het was immers alles of niets. Nu of nooit. Andere opties waren niet voorhanden. Hij rechtte zijn rug en legde het luik heel voorzichtig neer. Hij stond nu rechtop in het gat. Zijn beide handen plantte hij plat op de vloer en hij drukte zich voorzichtig omhoog. Eén knie zette hij geruisloos neer, daarna volgde de andere. Even bleef hij zitten, op zijn twee knieën. Toen kroop hij een meter of drie naar voren, tot pal achter het bureau met de monitoren, de duspol nog altijd om zijn nek heen gevouwen. Zijn hartslag ging snel. Hij sloop langs de zijkant van het bureau en keek er even, heel kort, omheen. Ze zat er! Half van hem afgedraaid. De voeten rustend op het bureau. Geconcentreerd turend naar de telefoon in haar handen.

Ineens kwam hij omhoog, ze draaide zich geschrokken om maar was te laat: Rolf pakte de leuning van de bureaustoel beet en duwde deze met veel kracht tegen de muur aan. Haar benen beukten tegen de muur. Ze slaakte een gil. Hij trok de duspol van zijn nek af en vouwde deze razendsnel om haar nek heen. De punt aan het uiteinde drukte hij tegen haar keel.

'Wat doe je?' De woorden verlieten licht gorgelend haar mond.

'Wat denk je?' riep hij terug. 'Het spel is uit. Uit!'

Hij trok het snoer stevig aan. Ze rochelde. Ze probeerde vergeefs haar vingertoppen om het snoer heen te wurmen.

'Opstaan,' snauwde hij. 'Opstaan en lopen. Naar de trap. Nu!'

Ze stond op. Het moest de eerste keer zijn geweest dat zij eens deed wat hij wilde. Rolf hield het snoer strak rond haar keel. Voorzichtig schuifelden ze in de richting van de trap. Halverwege probeerde ze zich te verzetten, maar Rolf kon haar redelijk eenvoudig in bedwang houden.

'Ophouden,' beet hij haar toe. 'Ophouden met verzetten, anders steek ik deze door je strot heen.'

De punt van de duspol duwde hij nog wat steviger in haar keel om zijn woorden kracht bij te zetten.

'Oké,' zei ze, haast smekend nu: 'Oké. Oké. Rustig maar, Rolf. Rustig maar.'

'Waar is Balou?'

Ze zweeg.

'Waar is Balou?' snauwde hij op dreigende toon.

'Lul.' Ze had moeite met ademen. Rolf liet het snoer iets losser. 'Weet ik niet. Ergens.'

Bovenaan gekomen gebood hij haar de deur te openen, wat ze gehoorzaam deed.

'Naar het zwembad,' fluisterde Rolf. 'We gaan via het zwembad.'

Langzaam schuifelden de twee door de gang richting de deur die naar het zwembad leidde. Even later daalden ze voorzichtig de trap af. Zij verzette zich niet meer. Ze jammerde alleen wat onverstaanbaars in zichzelf. Voor het eerst in lange tijd had ze geen controle. Wist ze niet wat er ging gebeuren. Ineens was iemand anders degene die bepaalde. Ze liepen langs de rand van het zwembad.

'Halt!'

Balou. Daar stond hij. Een meter of twintig bij hen vandaan. Pistool op hen gericht.

'Laat. Haar. Los.' Balou sprak de woorden langzaam en duidelijk uit. Zijn stem leek nog zwaarder en donkerder dan normaal. Rolf voelde hoe er een siddering door Charlotte's lichaam trok.

'Zie je dit?' Rolf hield de punt van de duspol in de lucht. 'Vlijmscherp. En als jij dat pistool nu niet op de grond neerlegt en voor je uit schopt, ros ik deze met al mijn kracht haar strot in!'

Rolf trok het snoer rond Charlotte's nek iets strakker aan, waardoor ze een kreun gaf. Balou schrok.

'Doe… wat… hij… zegt,' zei Charlotte met een zachte, afgeknepen stem. 'Leg neer… dat ding.'

Balou liet langzaam het pistool zakken. Hij zakte door zijn knieën en legde het op de grond. Daarna schopte hij het een paar meter voor zich uit. Langzaam duwde Rolf Lot naar voren in de richting van het pistool.

'Bukken,' fluisterde hij in haar oor, terwijl hij zijn blik niet van Balou af durfde te wenden.

Op de tast pakte Rolf het pistool van de grond. Samen stonden ze weer op. Hij duwde het pistool tegen Charlotte's slaap aan, trok de duspol van haar nek en gooide deze in het water. Lot greep met beide handen naar haar keel en probeerde haar ademhaling weer onder controle te brengen. Rolf pakte haar linkerpols vast een draaide deze zo dat zij moest bukken. Ze slaakte een korte kreet van pijn. Hij haalde het pistool van haar slaap af en richtte het op Balou. Rolf nam een diepe scheut adem.

'Sorry, man. Ik kan niet anders. Je bent te gevaarlijk voor mij.'

Het schot klonk dof, maar echode door het zwembad. De kogel

kwam daar uit waar Rolf hem bedoeld had: in het linkerdijbeen van Balou. De reus zeeg vrijwel geluidloos ineen. Rolf liet Lot los en duwde haar van zich af.

'Help hem,' zei Rolf. 'Help hem op die stoel daar, pak de verbandtrommel, en leg een drukverband aan om de wond.'

Het duurde alles bij elkaar een minuut of vijftien. Twintig hooguit. Toen zat Balou vastgebonden en met tape over zijn mond geplakt op de aangewezen stoel. Er zat verband om de schotwond in zijn been.

Rolf en Charlotte waren ondertussen al onderweg naar buiten.

42

Ze gingen met Rolfs auto. De A3. 'Dan weet ik zeker dat alles wat wij zeggen opgenomen wordt,' beargumenteerde hij resoluut.

Zij moest rijden. Rolf ging naast haar zitten en hield het pistool op haar gericht. Charlotte keek, met haar beide handen om het stuur heen geklemd, met een grimmige blik voor zich uit. Hij keek naar haar profiel. Zelfs nu, onder deze omstandigheden, bleef zij het meeste fascinerende schepsel dat hij ooit tegen was gekomen. Haar stuurse blik. Haar norsheid. Haar boosheid, haar zelfs maniakale boosheid, het had ontegenzeggelijk iets onweerstaanbaars. Ze bleef, ook nu nog, een onwrikbare vrouw, met een natuurlijke stijl, met flair. Hij schudde even met zijn hoofd om de bewondering van zich af te laten glijden en probeerde zich te focussen op de situatie. 'Rijden.' Hij schrok van zijn eigen onvriendelijkheid richting haar.

'Waarheen?'

'Poort uit. Rechtsaf. Naar de snelweg.'

Ze startte de motor en reed op aanwijzing van Rolf in de richting van de snelweg. Enkele minuten lang werd er niets gezegd. Een paar keer wierp zij een vluchtige blik in Rolfs richting. Eerst naar het pistool, dan naar zijn gezicht, dan weer naar de weg.

'Waarom rijden we hier?' vroeg ze na enige tijd.

'Ik wil antwoorden.'

'Antwoorden?'

'Ja. Antwoorden. Alleen maar antwoorden. Hier, in deze auto, voor het oog van jouw rollende camera's.'

Ze zei niets en bleef strak voor zich uitkijken.

'Waarom deed je het?'

Vluchtig keek ze zijn kant op.

'Waarom deed ik wat?'

'Alles. Mijn leven. Waarom heb je mijn leven overgenomen?'

'Dat heb ik niet gedaan.'

'Jawel. Vanmorgen heb ik alles ontdekt. Er was een pomp uitgevallen van het zwembad. In de kruipruimte. Van daaruit heb
ik de controlekamer ontdekt. Ik heb de beelden gezien. Bestan-
den geopend. Toen is het kwartje pas gevallen. Alles was vooropgezet door jou. Alles. Vanaf onze eerste ontmoeting. Mijn
baan, het huis, de auto, de hotelkamer, je vriendinnen waar ik
mee naar bed moest. Alles onder regie van jou. Alles.'

'Ik heb je nooit horen klagen.'

'Je wist precies hoe je mijn knoppen moest bedienen.'

'Dat is wel makkelijk, hè Rolf. Alle verantwoordelijkheid voor
je eigen kutleven altijd maar weer afschuiven op een ander.'

'Hoe verklaar je die opnames dan? Alles wat ik deed, overal
waar ik kwam, daar hingen camera's. Ik kon niets doen zonder
dat jij het opnam en bekeek. Mijn hele leven vond plaats onder
streng toezicht van jou.'

Ze glimlachte. 'Ik heb nooit het idee gehad dat je het vervelend
vond.'

'Dan zit je mis. Ik vond het namelijk heel vervelend toen ik
erachter kwam dat mijn vrijheid verdwenen was. En ik vond het
ook heel vervelend dat jij overvallers op mij afstuurde.'

Hij wachtte op haar reactie. Die bleef uit. Ze keek weer stuurs
voor zich uit en reageerde niet.

'Waarom, Lot? Waarom? En die anderen toen. Die op de weg,
toen ik in de sloot terecht kwam. Waarom heb je hen op mij
afgestuurd? Moest ik dood, Lot?'

Ze bleef zwijgen. Hij pakte sigaretten uit het handschoenenvak-
je, stak er één op en bood die haar aan.

'Wil je?'

Ze keek met een kille, minachtende blik zijn kant op en pakte
zonder iets te zeggen de sigaret aan. Zelf stak hij er ook eentje
op en ging verzitten. Toen hij een haal had genomen en door
zijn neusgaten de rook weer uit had geblazen zei hij: 'Paul van
Amersfoort.'

Hij zag dat zij als reactie haar ogen even samenkneep en kortstondig met haar hoofd draaide.

'Ken je hem nog? Paul van Amersfoort. Beter bekend als Paul de tennisleraar.' Ze zei nog steeds niks. 'Je weet wel; mijn voorganger. Jouw vroegere toyboy. Je hielp hém ook aan een baantje, net als mij. Waarschijnlijk ook als beroepsminnaar, zoals jij dat zo mooi noemt, maar dan onder het mom van tennisleraar. Op jouw eigen tennisclub uiteraard. Een tennisclub waar ook een aantal camera's hingen. Mocht hij ook in het tuinhuisje wonen? Zoals ik? Vast wel. Kon je hem goed in de gaten houden. Misschien kreeg hij ook wel een auto van je. Zo gul ben jij wel. Compleet met camera uiteraard.'

Rolf nam een flinke haal van zijn sigaret en blies de rook haar kant op. Zij wapperde het met enige irritatie weg.

'Het ging om Angela, toch? Daarom stuurde je eerst die wegpiraten en later die overvallers op me af. Vanwege Angela. Je hebt gezien dat ik haar naar huis bracht. Je hoorde ons praten over god weet wat allemaal en daar kon jij niet mee omgaan. Natuurlijk kon je daar niet mee omgaan: je had het al moeilijk met een whatsapp naar Mariska en een twee minuten durend gesprek met een Spaanse barvrouw! Maar hoe zat het dan met Paul? Waarom stuurde je die mannen destijds op hém af, Lot?' Rolf ging op steeds agressievere toon praten. 'Waarom toch zoveel geweld? Had hij ook een Angela? Had hij een vriendinnetje waar jij niet van wist? Had hij niet geluisterd naar je of gaf hij een grote mond en stond het jou niet aan? Wat was het, Lot? Wat was de reden waarom je hem hebt laten aftuigen?'

Charlotte keek hem aan en schudde haar hoofd.

'Bedoel je daarmee dat je alles ontkent?' ging Rolf verder, nu met een bepaalde mate van emotie, van woede, van razernij in zijn stem. 'Vertel me dan waar hij nu is. Waar is Paul van Amersfoort, Charlotte? Waar is Paul van Amersfoort!'

'Weet ik veel!' riep ze ineens uit. 'Weet ik veel waar die lul is gebleven. Hij is vertrokken. That's it. Misschien is ie terug naar dat Friesland van hem. Misschien is die ondankbare hond terug naar die kutboerderij, waar ik hem destijds eigenhandig uit de koeienstront vandaan heb getrokken!'

'Nee, Lot, daar is ie niet.'

'Hoe weet jij dat dan?'

'Omdat ik daar geweest ben. Eerder vandaag. Op die kutboerderij, waar jij die ondankbare hond eigenhandig uit de stront hebt getrokken. Ik heb met zijn ouders gesproken. Die weten ook niet waar hij is. Hebben hem al jaren niet meer gezien. Niemand weet waar Paul is, Lot, niemand. Behalve jij. En jij gaat het mij ook vertellen.'

Ze keek weer strak voor zich uit. Verderop was een parkeerplaats. Rolf wees met zijn pistool die kant op en gebood haar de snelweg te verlaten. Het was er uitgestorven, zo midden in de nacht. En het was er donker, erg donker. Hoge bomen omringden de kleine parkeerplaats en van de acht aanwezige lantaarnpalen brandden er slechts drie. Rolf zei Lot onder één van de brandende palen te gaan staan. In het licht, zodat hij haar goed in de gaten kon blijven houden.

'Paul van Amersfoort, Lot. Nú wil ik het weten. Zeg het me. Zeg me waar hij is gebleven!' Rolf schreeuwde woest, terwijl hij het pistool tegen haar dijbeen aandrukte. Hij voorvoelde dat zij op het punt stond te barsten. Dat hij haar had waar hij haar hebben wilde. Haar ademhaling ging snel. Sneller dan normaal. De sigaret had zij half opgerookt reeds nerveus in de asbak uitgedrukt. De grimas op haar gezicht werd harder. Het viel hem op dat hij nu pas zag dat ze ouder was dan hij. Werkelijk ouder. Rimpels bogen zich keurig gegroepeerd langs haar ogen. Om haar strakke mond zaten drie lijnen. Oplopend van formaat. Als de jaarringen van haar gezicht.

'Als jij,' Rolf ging op een zachtere maar dreigende toon verder, 'me nu niet verteld waar hij is, schiet ik je godverdomme in je poot. Ik zweer het Lot, ik zweer het. Ik sta niet meer voor mezelf in. Het interesseert me allemaal geen ene zak meer. Ik heb niets meer te verliezen. Ik heb geeneens een eigen leven meer. Zeg het me, Lot. Zeg het me nu!'

Rolf schreeuwde de laatste woorden met volle kracht.

'Jezus Christus, doe normaal man! Doe normaal met dat pistool,' krijste ze terug. Ze liet even een stilte vallen. Rolf zag dat ze nadacht. Op een iets kalmere toon zei ze: 'Oké, het is goed. Ik zal je alles vertellen.'

Ze boog haar hoofd en woelde kort en snel met twee handen door het haar. Rolf zag iets van emotie in haar ogen.

'Paul wilde niet meer,' begon ze. 'Hij wilde bij mij weg. Had een ander, zei hij. Kun je het je voorstellen, dat zo'n Friese boer, zo'n nutteloze klootzak, mij verlaat voor één of andere snol? Daarom huurde ik die bikers in. Daarom sloegen zij hem in elkaar. Toen hij terugkwam uit het ziekenhuis nam ik hem op en verzorgde ik hem. Maar nóg was het niet genoeg voor meneer. Hij moest en zou bij me weg. Met die snol mee. Met een schep heb ik hem neergeslagen. Toen hij op de grond lag heb ik hem nogmaals geslagen. Tegen zijn kop aan dit keer. Daarna heb ik hem dood laten bloeden onder het genot van een glas rode wijn, kamermuziek en een sigaret.'

Rolf greep naar zijn voorhoofd en realiseerde zich dat het hem was gelukt. Dat ze had bekend. Voor haar eigen camera's. Voor haar eigen microfoons.

'Waar is hij nu? Zijn lichaam, bedoel ik. Wat heb je daarmee gedaan?'

'Begraven. Begraven in mijn tuin.'

'In je eigen tuin?' Rolfs stem sloeg over.

Ze keek hem aan. Ze glimlachte.

'Paul hoort bij mij. Paul ís van mij. En hij moet ook voor altijd van mij blijven. Daarom heb ik hem op mijn eigen grond laten begraven. Door Balou.'

'Jezus, Lot. Je bent ziek. Je bent krankzinnig.'

Ze haalde haar schouders op.

'Denk ervan wat je denken wilt.'

'Je hebt hem doodgeslagen en niet eens het fatsoen gehad om hem een behoorlijke begrafenis te laten geven? Je hebt niet eens zijn lichaam ergens gedumpt zodat het gevonden zou worden en zijn ouders en vrienden zouden weten dat hij was gestorven? Je hebt al die tijd gewoon een lijk van een jongeman in jouw tuin gehad omdat je een ziekelijke drang hebt om te bezitten? Wat een waanzin!'

Rolf dacht even na wat nu te doen. Hij moest terug. Hij moest Paul op laten graven. Dit kon zo niet. Paul van Amersfoort moest voorgoed van haar bevrijd worden.

'We gaan terug,' bromde Rolf zachtjes.

'Terug?'

Rolf knikte.

'Start de motor! We gaan terug naar huis.'

Charlotte keek Rolf langdurig en zwijgend aan. Hij keek stoïcijns voor zich uit. Het pistool lag, in zijn linkerhand geklemd, op zijn schoot.

'Waarom? Waarom wil je terug?' zei ze op zachte en opvallend vriendelijke toon.

Rolf streek over zijn kin en voelde de opkomende stoppels prikken aan zijn vingertoppen.

'We gaan Paul bevrijden,' antwoordde hij. 'Jij gaat Paul opgraven, zodat hij eindelijk weg kan bij jou. Paul moet met respect begraven worden. Ergens ver weg van waar jij bent.'

'Nee. Nee. Nee!' ze zei het met de beslistheid die hij zo vaak in haar stem gehoord had. 'Ik ga niet midden in de nacht een lijk opgraven!'

Rolf deed zijn hoofd iets achterover en draaide hem even heen en weer.

'Jij gaat doen wat ik zeg dat jij gaat doen.'

Ze keken elkaar aan. Hij zag dat zij moeite had haar woede in te houden. Ze wilde weer ongeremd kwaad worden, zoals ze geweest was toen hij met Ana had staan praten en toen hij Mariska een bericht had gestuurd. Ze wilde hem slaan, schoppen. Ze wilde haar knie in zijn kruis planten. Hij wist dat alleen het pistool in zijn hand haar daarvan weerhield.

43

Het decor was buitengewoon, maar had tevens iets spookach-
tigs. Hoog aan de hemel schitterde een volle maan door de bomen heen. Een paar keer waande Rolf zich kortstondig in een
obscure horrorfilm van medio jaren '80. Midden in de nacht,
onder begeleiding van een volle maan, een lijk opgraven: het
had ontegenzeggelijk iets filmisch over zich. Af en toe hoorde
hij het getjilp van een vogel of het gefladder van vleugels, maar
verder ging er een opvallend serene rust uit van een verder alleszins lugubere scène.

Paul bleek begraven te zijn aan de buitenste rand van Charlotte's tuin, daar waar de vele hoge en dicht op elkaar staande
bomen Rolf in een bos deden wanen. Het grootste deel van de
tijd dat Charlotte aan het graven was, stond hij naast de kuil,
met de armen over elkaar en met het pistool in zijn hand. Zij
had, in zijn opdracht, haar laarzen uitgedaan en stond in haar
gehavende panty en haar korte rokje wijdbeens in de kuil, die
ondertussen al bijna een meter diep moest zijn. Haar gezicht
was besmeurd. Haar handen modderig en haar nagels waren
ingescheurd of helemaal afgebroken. De glamour, de schoonheid, was verdwenen, verjaagd, verbannen, door de barre omstandigheden. Een aantal keren was ze de uitputting nabij geweest en mocht ze van Rolf vijf minuten rusten, al moest ze in
haar kuil blijven, daar waar ze het minste kwaad kon. Soms
ging Rolf zelf ook even zitten, rokend, met zijn rug tegen een
boom, maar haar nimmer uit het oog verliezend. Want ondanks
alles, zelfs ondanks haar uitputting en zijn pistool, wist hij dat
zij een gevaarlijke tegenstander bleef. Tot op het eind. Zij was
immers als door de duivel bezeten. In hoge mate intelligent. Een
roofdier. Iemand met een onuitputtelijke wil om nooit op te

geven, om nooit te verliezen. Zij had alles gewonnen in haar leven. Had alles wat zij ooit had gewenst bereikt. Waarschijnlijk wist zij niets van verliezen. Had zij geen idee hoe het moest zijn om een doel niet te bereiken of om door een ander overwonnen te worden. Haar fysiek vreesde hij niet, zeker niet nu zij vermoeid en bijna uitgeput was, maar haar wilskracht en haar gedrevenheid wel. Hij kon niet verslappen, zelfs niet na een zware dag gevuld met kruipruimtes, een retourtje Friesland en een aanslag op zijn leven.

Als Paul was opgegraven zou Rolf de politie bellen, dat had hij inmiddels voor zichzelf besloten. De zaak was dan rond. De bewijslast overweldigend. Bekentenis met beeld en geluid voorhanden in de controlekamer, het lijk opgegraven en klaar voor nader onderzoek.

Met een doffe klap landde Charlotte's schep op iets hards. Rolf deed een stap naar voren.
'Wat was dat?'
Lot keek op uit haar kuil en wierp een bitsige blik zijn kant op.
'Paul.'
'Ligt ie in een kist?'
'Wat had jij dan gedacht? In een wasmachine?'
Hij had niks gedacht. Hij wist niet meer wat hij moest denken over wat haar dreef of over hoe zij tot haar daden kwam. Laat staan dat hij wist hoe zij die daden ten uitvoer bracht. Zij schoof met haar schep wat zand opzij. Rolf, die aan de rand van de kuil stond, zag een klein deel van wat een kist moest zijn. Zijn mond kierde open terwijl Lot de kist nog wat verder uitgroef.
Dit moest het dan zijn, dacht Rolf. Hier eindigde zijn zoektocht naar Paul van Amersfoort. Zijn voorganger. Hier had Lot hem door Balou laten begraven, nadat ze hem had doodgeslagen met een schep. Misschien zelfs wel met dezelfde schep als waar zij hem nu weer mee op had gegraven. Zijn gedachten zwierven rond. Hij besefte ineens dat hij hier misschien ook wel had kunnen eindigen. Hier ergens, in dit kleine bos. Tussen de bomen. Onder de volle maan. Misschien zouden de bikers hem wel zo hebben afgetuigd dat hij het niet zou hebben overleefd. Mis-

schien zou hij ooit wel opstandig hebben gedaan tegen Lot, of bij haar weg hebben gewild, en zou zij hem hebben vermoord. Zou ze hem naast of misschien wel boven op Paul hebben begraven. Deze plek, deze kuil, was misschien wel dé plek waarop Rolfs naam had gestaan. De plek die bedoeld was om hem te begraven, zodat ook hij voor eeuwig bij haar zou blijven.

Juist op het moment dat het opnieuw door zijn hoofd schoot dat hij alert moest blijven en niet te ver met zijn gedachten af moest dwalen, haalde zij uit. Met de schep ramde ze met volle kracht op zijn linkerhand, waardoor hij het pistool liet vallen. Een tweede klap landde vol op zijn borstkas, hij viel achterover, dreunde met zijn hoofd tegen een boom en landde ruw op de grond. Het laatste dat hij hoorde voordat de schep hem vol op het hoofd trof was haar satanische lach.

Toen hij wakker werd was alles wazig en donker. Hij zag de volle maan nog slechts schemeren. Contouren kon hij zien, meer niet. Contouren boven hem, contouren van bomen, contouren van struiken, de vage omtrek van een donkere schim. Zijn hoofd bonkte. Hij probeerde te bewegen, maar zijn handen lagen gekneveld op zijn buik en zijn voeten waren tegen elkaar aan gebonden. Over zijn mond zat tape heen geplakt. Op zijn lichaam lag zand: hij werd levend begraven.

Nu pas besefte hij dat hij boven op Paul lag. In de kuil. In zijn graf. Hij was andermaal in haar macht. Hij vervloekte zichzelf in zijn hoofd. Hij had in de auto al getwijfeld of hij wel terug zou moeten rijden. Of zij het lijk van Paul wel zelf op zouden moeten graven. Hij had immers reeds de bekentenis. Zij had alles toegegeven voor de rollende camera's van haar eigen duivelse controlekamer. Maar hij was in woede ontstoken, in razernij zelfs, toen zij had bekend dat zij Paul juist op haar eigen terrein had begraven omdat Paul van háár was. Dat Paul voor altijd bij haar moest blijven hoewel hij juist zo graag van haar af had gewild. Die woorden staken hem. Deden hem pijn. Maakten hem zo boos dat hij op dat moment had besloten om terug te gaan en Paul op te graven, om hem nu eindelijk eigenhandig van Charlotte te bevrijden. Het was een fout geweest. Een kapitale fout. Nu wachtte hem hetzelfde ijzige einde als Paul had ondergaan. Ook hij zou sterven, zoveel was nu wel zeker, en voor eeuwig bij Charlotte blijven. Een lot wreder, ziekelijker, dan hij zelf ooit had kunnen bedenken.

Zij zag dat hij wakker was geworden en sprong in de kuil. Met gespreide benen ging zij over hem heen staan. In het donker zag zij er weer net zo duivels verleidelijk uit als toen die eerste keer, voor de deur, bij Darla thuis. Haar zelfverzekerdheid, haar arrogantie, haar zelfvertrouwen, het was weer helemaal terug. De deugden van de middelbare vrouw floreerden in het zwakke maanlicht.

'Rolf Derks,' sprak ze statig en zacht, 'je weet nu alles. Het lijk ligt onder je. De bekentenis staat op tape. Er is echter één ding waar de rechter straks om gaat vragen maar waarop jij het antwoord nog niet weet: het motief. Een moordenaar heeft altijd een motief nodig.' Zij stak een sigaret op. Blauwe rook wapperde sierlijk langs haar gezicht omhoog. 'Weet je wat het was, Rolf? Lust. Dat was het motief. Alles deed ik uit lust, uit opwinding. Niets immers, is opwindender, geiler, dan het bezitten van een ander. Ik had alles. Dit huis. Auto's. Rijkdom. Alles. Het enige dat ik niet bezat was een man. Totdat Paul in mijn leven kwam. Ik merkte dat hij mij aanbad. Dat hij de grond wilde kussen waarover ik liep. Dat ik hem alles kon laten doen wat ik wilde. Ik kon hem zelfs andere vrouwen laten neuken. Hij deed alles voor me en dat wond mij meer op dan wat dan ook.'

Zij drukte haar schep op Rolfs keel, waardoor hij bijna moest overgeven. Zijn lichaam schokte, hij snakte naar adem, zijn ogen begonnen te tranen.

'Ik had Paul helemaal niet willen vermoorden. Hij had gewoon bij mij moeten blijven, zoals hij bij mij hoorde, net als dit huis, het zwembad, alles hier op dit landgoed van mij is. Maar hij wilde niet meer. Dat kon ik niet toestaan. En toen kwam jij. Lieve, mooie, onschuldige Rolf. Het had zo geweldig kunnen zijn. Ik had grootse plannen met jou. Maar jij moest zonodig met die Angela afspreken. Jij had niet genoeg aan mij alleen, maar wilde oh zo graag, zielige, zieke Angela neuken. Angela met haar gezwel. Eigenlijk zou ik haar moeten vermoorden. Ik heb het ook overwogen. Maar ja, haar doodschieten is haar bevrijden. Haar laten leven, op laten vreten door de kanker, dat is een veel wredere straf.'

Zij haalde de schep van zijn keel af en klom uit de kuil.

'Het enige dat ik nu nog moet doen is het tweede lijk, jouw lijk, begraven en de bekentenis wissen. Dat is alles. Dan is alle bewijs weg en kan ik weer op zoek naar de volgende man. Ik win, lieve Rolf, zoals ik altijd win. En dat had je van tevoren kunnen weten.'

Ze wierp hem een kushandje toe en begon weer zand het graf in te scheppen. Een volle lading landde in zijn gezicht, in zijn ogen, in zijn neus. Hij snakte vergeefs naar adem, naar frisse lucht. Hij probeerde te gillen. Te krijsen. Maar er kwam geen geluid.

Steeds meer zand landde boven op hem. Het werd aardedonker voor zijn ogen. Zijn gedachten werden wazig. Hij zag flitsen van toen. Beelden van vroeger. Van zijn jeugd, van school, zijn ouders, voetballen met vriendjes, een dagje Artis, die ene keer toen hij de banden van Meester Jansma lek prikte, uit wraak omdat hij ten onrechte had moeten nablijven. Hij dacht aan Mariska. Mooie, lieve Mariska. Hij lachte. Hij hoorde de vogels hoog boven hem tjilpen. Hij zag licht, daar ergens verderop. Hij zag het echt. Een soort glinsterend licht, een adembenemend licht, een alomvattend licht. Daar wilde hij naartoe. Moest hij naartoe. Hij rende, sneller en sneller en sneller. Het rennen ging over in zweven. Hij zweefde over akkers, over bossen, over velden naar dat verbijsterende licht. Hij zag kleuren, heerlijke kleuren, waanzinnige kleuren, die hij nimmer had gezien. Hij hoorde zijn naam, eerst fluisterend, toen bijna zingend door stemmen zo mooi, zo prachtig. Het zweven ging over in vliegen. Hij vloog over eindeloze heuvels en door diepe dalen, hij vloog over de zeeën en de oceanen. Hij vloog over de wereld. Sneller en sneller en sneller. Hij vloog naar het almaar groter wordende licht, want daar, daar in dat alomvattende licht zou geen pijn meer zijn, zou geen geluid meer zijn, geen geur en ook geen smaak. Er zou geen winst meer zijn en ook geen ver-

212

lies. Geen kwaad en zelfs geen dood. Hij glimlachte een eeuwigdurende glimlach. Alles daar zou leven, alles daar zou bloeien en groeien, alles daar zou voor eeuwig blijven stralen.

Hij hoorde zijn naam. Niet fluisterend. Niet zangerig. Niet eens mooi meer. Hij hoorde zijn naam en zag een vage contour. Een vage contour die hem probeerde uit te graven. Hij voelde hoe hij opgepakt werd, omhoog werd getild. In de zwakke schijnsels van de maan zag hij hoe een reusachtige gestalte hem bij het adembenemende licht vandaan trok en in het spookachtige donker op de kille, ruwe grond neerlegde.

Hij zat tegen een boom. Een plakkerige traan kleefde aan zijn wang. Gestold bloed zat aan de zijkant van zijn almaar bonkende hoofd. Zijn hand, waarvan hij vermoedde dat deze gebroken was, zat in een snel aangelegd verband. Het bos werd verlicht door een ronddraaiend mengsel van rood en blauw: het zwaailicht van politiewagens.

Balou had ze gebeld. Hij had zichzelf weten te bevrijden en Charlotte overmeesterd. Hij wilde niet meer. Hij kon niet meer. Hij kon werkelijk geen bloed meer verdragen. Zij mocht niet meer doden. Niet meer bezitten. Het spel was uit. Balou kon niet toestaan hoe Charlotte nog iemand zou vermoorden. En zeker niet iemand die hem, Balou, het leven had gered.

Rolf zag hoe Charlotte werd gearresteerd, geboeid en meegenomen door de politie. Ze had gekrijst. Gekrijst naar Rolf, gekrijst naar Balou. Ze zou terugkomen, ze zou hen opjagen, ze zou hen afmaken. Het deed hem niets. Charlotte deed Rolf niets meer. Hij was vrij. Echt helemaal vrij.

Een arts knielde voor hem neer, verwijderde het verband en keek naar zijn hand. Ze was van middelbare leeftijd. Een jaar of 45, schatte hij. Volle lippen. Blond geverfd haar, achterover gestoken in een handige staart. Ze was slank, goed gebouwd. Donkere ogen. Hij nam haar in zich op. Hij vond de naam Diana bij haar passen. Dokter Diana. Hij vroeg zich af of zij op jongere mannen zou vallen. En of ze iemand had die thuis op haar zat te wachten. Hij vroeg zich af of ze beschikbaar zou zijn. Of misschien zelfs op zoek. En als ze op zoek zou zijn, zou hij dan misschien ooit haar profiel zijn tegengekomen op een datingsite? Misschien hadden ze wel eens contact gehad. Misschien had zij hem ooit wel eens een obscene foto gestuurd, voorover gebogen, met ontblote borsten. Misschien had ze hem wel een voorstel gedaan. Of hij misschien van orale seks hield. Of van parkeerplaatsseks. Misschien. Misschien. Hij wist het niet meer. Hij wist het echt niet meer. Maar eigenlijk maakte het hem ook niks meer uit. Hij wilde alleen nog maar naar huis.

Epiloog

Charlotte van Loon werd veroordeeld tot 15 jaar gevangenisstraf met dwangverpleging en een schadevergoeding van €78.000 wegens moord en poging tot doodslag. De rechtbank rekende het haar zwaar aan dat zij geen enkele wroeging had gekend. Dat zij nimmer berouw had getoond. Volgens deskundigen leed zij aan een kwaadaardige vorm van narcisme, die gepaard ging met paranoia, sadisme, een buitensporige eigenliefde en een totaal gebrek aan empathie. In de rechtszaal was Charlotte een aantal keer krijsend en schreeuwend buiten zinnen geraakt, smijtend met haar microfoon, zo hevig, dat de zitting meermaals werd stilgelegd en uitgesteld moest worden. Charlotte stierf, moederziel alleen in haar cel, aan een hartstilstand, op 64-jarige leeftijd.

Herbert Davids, beter bekend als Balou, bekende dat hij het lichaam van Paul van Amersfoort had begraven en werd veroordeeld tot twee jaar cel, waarvan zes maanden voorwaardelijk, wegens medeplichtigheid aan moord. De straf viel lager uit dan verwacht, omdat Balou zijn daad onder invloed van Charlotte had uitgevoerd. Deskundigen oordeelden dat hij zowel het geestelijke als het intelligente vermogen ontbeerde om weerstand tegen haar te bieden. Bovendien was hij uiteindelijk zelf tot inkeer gekomen en had daarmee het leven van Rolf gered. Nadat hij zijn straf uit had gezeten vertrok hij naar zijn familie in Suriname om daar zijn leven opnieuw op te bouwen.

Angela Rekers stierf in het najaar aan de gevolgen van kanker, slechts 47 jaar jong. Rolf ging niet naar de begrafenis, hij hoorde immers, zo meende hij, bij haar geheime leven en dat leven moest ook na haar dood geheim blijven. Dat zou zij zo gewild hebben. Hij bezocht haar graf drie weken later.

Rolf Derks vertrok een half jaar na de rechtszaak naar Canada. Hij schreef daar een boek over de hele zaak, dat een bestseller zou worden en uiteindelijk een paar jaar later zelfs zou worden verfilmd. Hij huwde een dame, Stacey, die slechts drie jaar ouder was dan hijzelf. Met de opbrengsten van het boek begonnen zij een veehouderij, ergens, een kilometer of honderd ten noorden van Montreal. Samen kregen ze twee kinderen. Een meisje, genaamd Angela, en een jongen, genaamd Paul.